新

中学英語
の基本のところが

24時間で
マスターできる本

沢寿夫

明日香出版社

こんにちは！長沢寿夫です。

英語を学んだことがあるみなさま、これから学ぶみなさま、英語の基本として書かれている内容が難しいと感じたことはありませんか。この本はそんなみなさまのために私が69冊目に執筆した本をリニューアルしたものです。
そのため、この本では基本を習うときにすでに知っている前提であつかわれており、教えてもらえないところをとりあげています。英語を簡単で楽しいものと思ってほしい、みんながわかるように伝えたい。改訂しながら、当時この本を執筆したときに込めた思いがまざまざと思い出されました。

当時から変わらず、私の本には誰が見てもわかる大きなちがいがあります。それは、「質問券」がついている、ということです。「質問券」とは私の本を読んだ読者の方が疑問に思われたことがあれば、気軽に質問できるようにと思ってつけたものです。この質問券を頼って多くの方の英語の悩みを聞くことになりました。

・いくら勉強してもどうしてもわからないところがある。
・英会話教室では文法は教えてくれないのでわからない。
・参考書をいっぱい読んだけど、よくわからない。
・英語が苦手なのでどうしたらいいですか？
・英検を受けたいのですが、何を勉強したらよいでしょうか？

などなど、今まで様々なご質問が集まりました。最初は漠然とした「英語がわからない」という方が多いのですが、具体的にお話を聞いていくと、みなさんが似たようなところでつまずいていらっしゃること、しかもそれが中学英語などのかなり初級の段階であることが多いことに気付きました。このようにして、みなさんがよくつまずかれるポイントと、私がまず最初に覚えてほしいと考えている、英語の基本の基本のところを集結させた「100枚のプリント」ができていったのです。

あるとき、74歳の女性の方からご質問が来ました。
長い間英会話教室などで英語を勉強してきたのだけれど、どうしてもわかった気がしない、自信がつかない」というご相談でした。私はさっそくこの100枚プリントをFAXで毎日2枚ずつお送りしました。そして50枚目くらいまで進んだとき、その方から「この順番で勉強するだけで、いつのまにか英語がわかるようになっている自分におどろきました。」という、うれしいご感想をいただきました。

そして100枚プリントが本として出版されてしばらく経ったあるとき、池上悟朗さんという読者の方からもこんなご感想をいただきました。「この本と2冊目の『中学3年分の英語が21時間でマスターできる本』をくりかえし勉強していたら、英検準1級の英作文の問題で合格者の平均点を越える点数がとれました！」この方は45歳で、昔習った英語をほとんど忘れていたそうですので、本当にゼロからのスタートだったのです。

そんな経緯でうまれた本が、視覚的にもさらにわかりやすくなり英語への第一歩目にふさわしい書籍へとしあがりました。

何事でもそうですが、基本の段階が抜けたままで進めていくと、必ずどこかでつまずいてしまうものです。
この本が、そういう方々の助け船になれたらと願っております。
英語の勉強は、文のつくりかたを理解することが大切。
いくら決まり文句を覚えても、英語に対する自信は深まりません。
なので、この本を手にお取りになったみなさん、ぜひとも、この本で英語の基本を自分のものにしてください。
この本にのっていることさえ知っていれば、あとは単語を入れかえるだけで、自分の意志を相手に伝えることができるようになります。
また、巻末には質問券をつけてありますので、迷ったとき、疑問がわいたときはぜひご利用ください。

だれでも必ずできるようになります！
自信をもってこの1冊をやりとげてください！
なお、この本は2006年に発行した「CD BOOK 中学英語の基本のところが24時間でマスターできる本」に新たに解説を加え、「質問・疑問」に対する答えをわかりやすくまとめなおしたものです。
時代に合わせて、音声データをダウンロードもできるようにしましたので、CD でもどちらでも、学習しやすいやり方で聞いてみてください。
最後に、私の好きな言葉を贈ります。

「喜びをもって勉強すれば喜びもまたきたる」

音声ダウンロードについて

CD と同じ内容の音声データ（mp3）を
明日香出版社のホームページからダウンロードできます。

パソコンやスマートフォン、iPad などの端末でアクセスしてください。
https://www.asuka-g.co.jp/dl/isbn978-4-7569-2143-7

※収録内容は、日本語→英語です。
※音声ファイルは、一括ダウンロードも個別で聞くこともできます。
※音声の再生には、mp3ファイルを再生できる機器などが必要です。
　ご使用の機器、音声再生ソフトなどに関する技術的なご質問は、
　ハードメーカーもしくはソフトメーカーにお願いいたします。
※音声ダウンロードサービスは予告なく終了することがございます。

本書のつかいかた

決まった学習方法はありませんが、CD はナチュラルスピードで収録されているため、はじめは少し速く感じるかもしれません。まずは本で英文に十分慣れてから、CD を聴いて日本語から英語がすぐ頭に浮かぶようになったかどうかを確認してください。

学習時間

あくまでも目安ですので、自分のペースで学習しましょう。

CD のトラック番号です。

CD では日本語→英語の順に収録されています。

本書8ページ発音の読みかた参照

Q 007 名詞と形容詞ってなに？

CD 07　学習の目安 10分

例文

名詞
Book
どんな？
形容詞

big (大きい)

a big book ((1冊の) 大きい本)

big books ((2冊以上の) 大きい本)

small (小さい)

a small book ((1冊の) 小さい本)

small books ((2冊以上の) 小さい本)

old (古い)

an old book ((1冊の) 古い本)

old books ((2冊以上の) 古い本)

new (新しい)

a new book ((1冊の) 新しい本)

new books ((2冊以上の) 新しい本)

単語の発音

big〔ビッグッ〕a big book〔アビッ・ブックッ〕big books〔ビッ・ブックッスッ〕old〔オーゥオドゥッ〕an old book〔アノーゥオドゥッ　ブックッ〕small〔スモーオ〕new〔ニュー〕

28

物の名前を表している言葉＝名詞
名詞をもっとくわしく説明するときにつかう言葉＝形容詞

ここでちょっと文法の話をしたいと思います。

book（本）や pen（ペン）などのように**物の名前**を表している言葉を**名詞**と呼んでいます。そしてこの**名詞をもっとくわしく説明するときにつかう言葉を形容詞**といいます。

次のように考えるとわかりやすいと思います。

ひとつの名詞があって〈どんな？〉という疑問に答えている単語があれば、それらはすべて形容詞です。

a book（1冊の本）〈どんな本？〉大きい、小さい、新しい、古い
名詞　(big)　(small)　(new)　(old)

形容詞には2つのつかいかたがあります。

(1) **形容詞だけでつかう**
big（大きい）

(2) **名詞といっしょにつかう**
a big book（1冊の大きい本）
big books（2冊以上の大きい本）

これだけは覚えましょう

a book　a book
a big book　an old book
big books　old books

a をつけるのが普通なのですが、a の次にくる単語がア、イ、ウ、エ、オの音ではじまっている時は、発音しにくいので an +〔ア、イ、ウ、エ、オ〕のように a の代わりに an をつかいます。an old を anold〔アノーゥオドゥッ〕のように読むことが多いようです。

チェック　/　/　/　/　/

29

左の例文についての解説です。

チェック欄
くりかえし学習したときにチェック欄として利用できます。

○発音の読みかた

〔æ〕**〔エァ〕** エの口の形でアといえば、この音をだせます。

〔v〕**〔ヴッ〕** 下くちびるをかむようにしてブッといえば **〔ヴッ〕** の音をだせます。

〔f〕**〔フッ〕** 下くちびるをかむようにしてフといえば、**〔フッ〕** の音をだせます。

〔əːr〕**〔ア～〕** 口を小さく開けて **〔ア～〕** といいます。

〔ɑːr〕**〔アー〕** 口を大きく開けて **〔アー〕** といいます。

〔l〕 はこの本では **〔オ〕** と表記しています。舌を上の歯ぐきのうらにつけて発音しますが、単独でくるときは、舌の奥の方が上がります。

〔r〕**〔ゥル〕** ウと軽くいいながらルといえば **〔ゥル〕** の音をだせます。

〔dz〕**〔ts〕** ツッの音をにごらせた **〔ヅッ〕** の音で発音してください。

〔z〕 スの音をにごらせた **〔ズッ〕** の音で発音してください。

th の音を表す〔θ〕**〔す〕** と〔ð〕**〔ずッ〕** はひらがなで表しています。

〔θ〕 舌先を上の歯の裏側に軽くあてて **〔すッ〕** というつもりで息をだすと〔θ〕の音がでます。声をだすと〔ð〕の音がでます。

〔j〕**〔い〕** 日本語でイーといいながら、舌の先をあごの天井すれすれまで近づけて口の両端を左右に引くとこの音をだせます。

〔・〕の記号は音の省略の記号としてつかっています。**～ ing**〔ŋ〕**〔イン・〕** グの音はいわない方が英語らしく発音できます。

a big book →〔əbigbuk〕**〔アビッ・ブックッ〕** g と b がローマ字読みできないときは、g を発音しない方が英語らしく聞こえるので、〔・〕をつけてあります。

That is〔ゼァッティズッ〕は人によっては〔ゼァッリィズッ〕と発音されることがあります。おなじように〔タ、ティ、トゥ、テ、ト〕が〔ラ、リ、ル、レ、ロ〕のように発音されることがあります。

母音（ア、イ、ウ、エ、オ）が2つ続いているときは、前の母音を強くいってから2つめの母音を軽くつけくわえるように発音します。

〔ei〕〔エーィ〕　〔ou〕〔オーゥ〕

〔ai〕〔アーィ〕　〔au〕〔アーゥ〕

また、この本ではできるだけＣＤのナレーターの方の発音に近い読み方をのせています。

もしあなたがアメリカ英語で習われているときは、少しちがっているかもしれません。

あなたの習っている音で覚えていただいて結構です。

この本の発音 **pond**〔ポンドゥッ〕

アメリカ発音 **pond**〔パンドゥッ〕

英語の辞典には〔パンドゥッとポンドゥッ〕の両方がのせてあります。

CONTENTS

CONTENTS

—CREDITS—
カバーデザイン：krran 西垂水 敦・市川 さつき
本文デザイン：二ノ宮 匡
イラスト：田島 ミノリ
編集協力：畠山 由梨

001 a bookってどんな本？

例文

これだけは覚えましょう

a book（ある1冊の本）

the book（（1冊しかない）その本）

this book（この本）

that book（あの本）

my book（私の本）

your book（あなたの本）

his book（彼の本）

her book（彼女の本）

単語の発音

a〔ア〕the〔ざ〕this〔ずィスッ〕that〔ぜァッ・〕my〔マーィ〕your〔ヨアァ〕his〔ヒズッ〕her〔ハァ〕book〔ブックッ〕

a bookはどれでもよいからたくさんの中から選んだ1冊の本、またはある１冊の本

試しにbookという単語を英和辞典で調べてみましょう。
book〔ブック〕本と書いてあります。
普通は**a book〔ア　ブックッ〕1冊の本**と覚えます。
ここで大切なことは、**a book**を1冊の本と覚えるよりも**どれでもよいからたくさんの中から選んだ1冊の本**または、**ある1冊の本**と覚えることです。
このように覚えておくと、次のような日本語を英語にする時にaがつかえないことがわかります。

（1冊しかない）その本　**the book**〔ざ　ブックッ〕
この本　**this book**〔ずィスッ　ブックッ〕
あの本　**that book**〔ぜァッ・　ブックッ〕
私の本　**my book**〔マーィブックッ〕
あなたの本　**your book**〔ヨアァ　ブックッ〕
彼の本　**his book**〔ヒズッ　ブックッ〕
彼女の本　**her book**〔ハァブックッ〕

その、この、あの、私の、あなたの、彼の、彼女のという言葉があるために、**どの本であるかがはっきりしています**。どれでもよいからという意味がふくまれていないので、
aをつかうことはできません。
もうひとつ大切なことがあります。ここで紹介したbookはすべて**1冊の本**であるということです。

チェック　/　/　/　/　/

Q 002 1冊じゃないbookはなんていうの？

CD 02　学習の目安 10分

例文

books（どこにでもある（2冊以上の）本）

the books（そこにある（2冊以上の）本）

many books（多くの本）

a lot of books（多くの本）

some books（数冊の本）

my books（私の（2冊以上ある）本）

your books（あなたの（2冊以上ある）本）

his books（彼の（2冊以上ある）本）

her books（彼女の（2冊以上ある）本）

単語の発音

books〔ブックッスッ〕many〔メニィ〕a lot of〔アロットヴッ〕some〔サムッ〕

books

bookにsをつけると、2冊以上の本を表すことができる！

たとえば、「私は本が好きです。」を英語にしたい時、この日本文の「本」が、どのような意味でつかわれているのかを考えてから、英語に訳さなければなりません。
どれでもよいからたくさんの本の中から選んだ1冊の本の意味なら **a book**, **どれでもよいから2冊以上の本ならば books** です。
以上のことから、「私は本が好きです。」の「本」は books とした方がよいということがわかります。

ここが大切

	1冊の本	2冊以上の本
どの本か **はっきりしていない**	**a book**	**books**
どの本をさしているか **はっきりしている**	**the book**	**the books**

チェック ▶ ／ ／ ／ ／ ／

Q 003 そもそも英語ってどんな言葉？

 CD 03　学習の目安 10分

例文

This is（これです）

That is（あれです）

These are（これらです）

Those are（あれらです）

It is（それです）

They are（それらです）

There is（あります）

There are（あります）

単語の発音

This is〔ずィスィズッ〕That is〔ぜアッティズッ〕These are〔ずィーザァ〕
Those are〔ぞーゥザァ〕It is〔イティイズッ〕They are〔ぜーィアー〕
There is〔ぜァゥリズッ〕There are〔ぜァゥラァ〕

英語はまず疑問(ぎもん)がうまれるようにして、その疑問に答えながら進んでいく言葉(ことば)。

A

英語の並(なら)べ方(かた)は次のようなシステムになっています。

これは本です。

これですよ〈何ですか？〉　本

This is　a book.

あれは本です。

あれですよ〈何ですか？〉　本

That is　a book.

それは私の本です。

それですよ〈何ですか？〉　私の本

It is　my book.

ここが大切

1冊(さつ)の場合	This **is** + **a** book.
2冊以上の場合	These **are** + books.
1冊の場合	There **is** + **a** book.
2冊以上の場合	There **are** + books.

このようにグループで覚(おぼ)えておけば、まちがうことはありません。

「1つ」を表(あらわ)しているグループは他(ほか)の「1つ」を表しているグループとくっつくのです。

チェック ▶ /　/　/　/　/

Q 004 「私(わたし)は～です。」はなんていうの？

CD 04　学習の目安 10分

例文

I am（私です）

You are（あなたです）

He is（彼(かれ)です）

She is（彼女(かのじょ)です）

We are（私たちです）

They are（彼らです）

My brother is（私の〔兄(あに)／弟(おとうと)〕です）

My brothers are（私の兄弟(きょうだい)たちです）

Tony is（トニーです）

Tony and I are（トニーと私です）

単語の発音

I〔アーィ〕you〔ユー〕he〔ヒー〕she〔シー〕we〔ウィー〕they〔ぜーィ〕

brother〔ブゥラざァ〕brothers〔ブゥラざァズッ〕

Tony and I〔トーゥニィ　アンダーィ〕

「私は～です。」＝I am～.

「私は先生です。」を英語に訳したい時は、まず日本語で

私ですよ〈何ですか？〉先生

のように考えて英語に訳していきます。
英語ではまず疑問がうまれるようにして、その疑問に答えながら進んでいくのです。
その他にも英語にはいろいろな文法の決まりがあります。

I am（私です）

You are（あなたです）

この2つの組み合わせはいつも決まっているので、このまま覚えておく必要があります。
英語で**です**の意味を表す単語には、**is** と **are** と **am** があります。
I と you 以外の時は次のルールを守って英文をつくらなければなりません。

・**「1人」**を表す言葉がある場合には **is**
・**「2人」以上**を表す言葉がある場合には **are**

〔「1人」を表す言葉なので is といっしょにつかう〕

He〔彼〕, **She**〔彼女〕, **My brother**〔私の兄または弟〕,
Tony〔トニー〕

〔「2人」以上を表す言葉なので are といっしょにつかう〕

We〔私たち〕, **They**〔彼らまたは彼女たち〕,
My brothers〔私の兄弟たち〕, **Tony and I**〔トニーと私〕

チェック ▶ ／ ／ ／ ／ ／

Q 005 「私たちは先生です。」はWe am a teacher?

CD 05　学習の目安 10分

例文

I am a teacher.（私は先生です。）

You are a teacher.（あなたは先生です。）

He is a teacher.（彼は先生です。）

She is a teacher.（彼女は先生です。）

Tony is a teacher.（トニーは先生です。）

Tony and I are teachers.（トニーと私は先生です。）

We are teachers.（私たちは先生です。）

They are teachers.（彼らは先生です。）

My brother is a teacher.（私の兄〔弟〕は先生です。）

My brothers are teachers.（私の兄弟たちは先生です。）

単語の発音

teacher〔ティーチァ〕teachers〔ティーチァズッ〕

Weは2人以上を表しているのでamはつかえない。We are teachers.が正解！

A

I am と You are から始まっている英語は、主語が1人であるということを表しているので、teacher（先生）という単語をつかう場合は a teacher（多くの先生の中の1人の先生）といっしょにつかいます。ここまでは決まり文句として、よく口ならしをして覚えてしまってください。

ここからは、ルールなのでこのルールをしっかり理解してつかう必要があります。

is は1人を表す単語なので a teacher といっしょにつかいます。
are は2人以上を表す単語なので teachers といっしょにつかいます。
以上のことから次のようになります。

I am ＋ a teacher.（私は先生です。）
1人　1人

You are ＋ a teacher.（あなたは先生です。）
1人　1人

Tony and I are ＋ teachers.（トニーと私は先生です。）
2人　2人

We are ＋ teachers.（私たちは先生です。）
2人（以上）　2人（以上）

My brother is ＋ a teacher.（私の〔兄／弟〕は先生です。）
1人　1人

My brothers are ＋ teachers.（私の兄弟たちは先生です。）
2人（以上）　2人（以上）

チェック     

Q 006 「これ」とか「あれ」はなんていうの？

学習の目安 10分

例文

This is （これです）

This book is （この本です）

That is （あれです）

That book is （あの本です）

These are （これらです）

These books are （これらの本です）

Those are （あれらです）

Those books are （あれらの本です）

It is （それです）

The book is （その本です）

They are （それらです）

The books are （それらの本です）

単語の発音

This is〔ずィスィズッ〕This book is〔ずィスッ　ブッキズッ〕

These books are〔ずィーズ　ブックサァ〕

this＝これ
that＝あれ

英語の単語にはひとつの単語にいくつもの意味をもっていることがよくあります。

this は、**これ／この**
that は、**あれ／それ／あの**
these は、**これら／これらの**
those は、**あれら／あれらの**
they は、**それら／彼(かれ)ら／彼女(かのじょ)たち**

英語を覚(おぼ)えるときは、いつでもグループで覚えるようにしてください。
単語の意味だけで覚えていると変な英文を勝手(かって)につくってしまうことがよくあるからです。

This is（これです）
This book is（この本です）

These are（これらです）
These books are（これらの本です）

It is（それです）
The book is（その本です）

They are（それらです）
The books are（それらの本です）

チェック　／　／　／　／　／

Q 007 名詞と形容詞ってなに？

学習の目安 10分

例文

big (大きい)

a big book ((1冊の) 大きい本)

big books ((2冊以上の) 大きい本)

small (小さい)

a small book ((1冊の) 小さい本)

small books ((2冊以上の) 小さい本)

old (古い)

an old book ((1冊の) 古い本)

old books ((2冊以上の) 古い本)

new (新しい)

a new book ((1冊の) 新しい本)

new books ((2冊以上の) 新しい本)

単語の発音

big〔ビッグッ〕a big book〔アビッ・ブックッ〕big books〔ビッ・ブックッスッ〕old〔オーゥオドゥッ〕an old book〔アノーゥオドゥッ　ブックッ〕small〔スモーオ〕new〔ニュー〕

物の名前を表している言葉＝名詞 名詞をもっとくわしく説明するときにつかう言葉＝形容詞

ここでちょっと文法の話をしたいと思います。
book（本）や pen（ペン）などのように**物の名前**を表している言葉を**名詞**と呼んでいます。そして この**名詞をもっとくわしく説明するときに**つかう言葉を**形容詞**といいます。
次のように考えるとわかりやすいと思います。
ひとつの名詞があって〈どんな？〉という疑問に答えている単語があれば、それらはすべて形容詞です。

a book（1冊の本）〈どんな本？〉大きい、小さい、新しい、古い
名詞　　　　　　　　　　　　　　（big）　（small）（new）　（old）

形容詞には2つのつかいかたがあります。

（1）**形容詞だけでつかう**
big（大きい）

（2）**名詞といっしょにつかう**
a big book（1冊の大きい本）
big books（2冊以上の大きい本）

これだけは覚えましょう

a **b**ook　　a **b**ook
a **b**ig book　　an **o**ld book
big books　　**o**ld books

a をつけるのが普通なのですが、a の次にくる単語がア、イ、ウ、エ、オの音ではじまっている時は、発音しにくいので an +〔ア、イ、ウ、エ、オ〕のように a の代わりに an をつかいます。an old を anold〔アノーゥオドゥッ〕のように読むことが多いようです。

チェック　／　／　／　／　／

Q 008 どんなものか説明したいときは？

CD 08　学習の目安 10 分

例文

This book is big. (この本は大きい。)

This is a big book. (これは大きい本です。)

These books are big. (これらの本は大きい。)

These are big books. (これらは大きい本です。)

That book is new. (あの本は新しい。)

That is a new book. (あれは新しい本です。)

Those books are new. (あれらの本は新しい。)

Those are new books. (あれらは新しい本です。)

The book is old. (その本は古い。)

It is an old book. (それは古い本です。)

The books are old. (それらの本は古い。)

They are old books. (それらは古い本です。)

This book is + big.（この本は大きい。）
This is + a big book.（これは大きい本です。）
この2パターンをつかおう！

This book is （この本です）

This is （これです）

new （新しい）

a new book （1冊の新しい本）

このような覚え方をすれば、

(1) この本は新しい。

(2) これは新しい本です。

を英語にしようとした時に簡単に訳すことができます。

(1) This book is ＋ new.

(2) This is ＋ a new book.

この要領でどんな日本語も英語に訳していくことができます。

These books are （これらの本です）

These are （これらです）

new （新しい）

a new book （1冊の新しい本）

new books （2冊以上の新しい本）

(1) これらの本は新しい。

(2) これらは新しい本です。

(1) These books are ＋ new.

(2) These are ＋ new books.

チェック ／ ／ ／ ／ ／

009 veryのつかいかたは？

CD 09　学習の目安 10分

例文

This is a small book. (これは小さい本です。)

This book is small. (この本は小さい。)

This is a very small book. (これはとても小さい本です。)

This book is very small. (この本はとても小さい。)

Tony speaks English. (トニーは英語を話す。)

I like English. (私は英語が好きです。)

Tony speaks English very well.

(トニーはとてもじょうずに英語を話す。)

I like English very much. (私はとても英語が好きです。)

単語の発音

small〔スモーオ〕very〔ヴェゥリィ〕speaks〔スピークッスッ〕like〔ラーィクッ〕English〔イングリッシッ〕well〔ウェオ〕much〔マッチッ〕

veryは形容詞の前につける！

(1) **very**〔ヴェゥリィ〕とても
(2) **very** much〔ヴェゥリィ　**マッ**チッ〕とても（たくさん）
(3) **very** well〔ヴェゥリィ　**ウェ**オ〕とてもじょうずに

ここが大切

〔パターン1〕

本　a book
小さい本　a small book
とても小さい本　a **very small** book

〔パターン2〕

小さい　small
とても小さい　**very small**

〔パターン3〕

じょうずに　well
とてもじょうずに　**very well**

トニーはとてもじょうずに英語を話す。

トニーは話す	〈何を？〉	英語	〈どれぐらい？〉	とてもじょうずに
Tony speaks		**English**		**very well.**

〔パターン4〕

とても（たくさん）　**very much**

私はとても英語が好きです。

私は好きです	〈何が？〉	英語	〈どれぐらい？〉	とても（たくさん）
I like		**English**		**very much.**

チェック　/　/　/　/　/

Q 010 This book is my book.はだめ？(1)

CD 10　学習の目安 10分

例文

my book（私(わたし)の本）
mine（私のもの）
your book（あなたの本）
yours（あなたのもの）
his book（彼(かれ)の本）
his（彼のもの）
her book（彼女(かのじょ)の本）
hers（彼女のもの）
their house（〔彼らの／彼女たちの〕家(いえ)）
theirs（〔彼らの／彼女たちの〕もの）
our house（私たちの家）
ours（私たちのもの）
Tony's house（トニーの家）
Tony's（トニーのもの）

単語の発音

my〔マーィ〕mine〔マーィンヌ〕your〔ヨアァ〕yours〔ヨアァズッ〕
his〔ヒズッ〕her〔ハァ〕hers〔ハァズ〕their〔ゼァ〕theirs〔ゼァズッ〕
our〔アーゥァ〕ours〔アーゥァズッ〕Tony's〔トーゥニィズ〕

だめ。
This is my book. / This book is mine.
のどちらかにしよう！

英語では、ひとつの英文の中におなじ名詞が2つ重なるのをきらう傾向にあります。
そこで my book（私の本）とおなじ意味を表すことができる **mine** が必要になってくるのです。

たとえば、次のような日本語を英語に訳したい時に my book と mine が役に立つのです。

（1） これは私の本です。
（2） この本は私のものです。
（1） This is + **my book**.
　　これです　　私の本
（2） This book is + **mine**.
　　この本です　　私のもの

（1） これは私たちの家です。
（2） この家は私たちのものです。
（1） This is + **our house**.
（2） This house is + **ours**.

チェック　/　/　/　/　/

Q 011 This book is my book.はだめ？(2)

CD 11　学習の目安 15分

例文

This is my book.（これは私の本です。）

This book is mine.（この本は私のものです。）

This is your book.（これはあなたの本です。）

This book is yours.（この本はあなたのものです。）

This is his book.（これは彼の本です。）

This book is his.（この本は彼のものです。）

This is her book.（これは彼女の本です。）

This book is hers.（この本は彼女のものです。）

This is their house.（これは彼らの家です。）

This house is theirs.（この家は彼らのものです。）

This is our house.（これは私たちの家です。）

This house is ours.（この家は私たちのものです。）

This is Tony's house.（これはトニーの家です。）

This house is Tony's.（この家はトニーのものです。）

英語ではひとつの文に２回おなじ単語がでてくるのは不自然だよ。

これは私の本です。
この本は私のものです。

この2つの日本文はまったくおなじ意味を表しています。
日本語では、**この本は私のものです。**というよりも**この本は私の本です。**の方がより自然な気がしますが、英語では日本語のようにはいかないのです。

This is my book.（これは私の本です。）
〔不自然〕This book is my book.（この本は私の本です。）
〔自然〕　This book is mine.（この本は私のものです。）

ここが大切

his は、**彼の**、と**彼のもの**
Tony's は、**トニーの**、と**トニーのもの**

人の名前に**の**または**のもの**という意味を表したい時は **'s**（アポストロフィエス）をつけてください。

この本はトニーのものです。
This book is Tony's.

チェック　/　/　/　/　/

Q 012 動詞って どんな種類があるの？

CD 12　学習の目安 10分

例文

I am tall.（私は背がたかい。）
I am a teacher.（私は先生です。）
I am an English teacher.（私は英語の先生です。）

You are tall.（あなたは背がたかい。）
You are a teacher.（あなたは先生です。）
You are a tall teacher.（あなたは背がたかい先生です。）

I run.（私は走る。）
I walk.（私は歩く。）

You run.（あなたは走る。）
You walk.（あなたは歩く。）

単語の発音

tall〔トーオ〕teacher〔ティーチァ〕run〔ゥランヌ〕walk〔ウォークッ〕
an English teacher〔アニングリッシッ　ティーチァ〕

動詞にはbe動詞(is, am, are)と一般動詞があるよ。

英語の動詞には be 動詞と一般動詞があります。
is, am, are のことを be 動詞といいます。be 動詞ではない動詞を一般動詞といいます。英語では日本語とちがって**一番いいたいことを先にいいます**。

(1) だれが**どうする**。(**一般動詞**をつかいます。)
(2) だれが**どんなだ**。(**be 動詞**をつかいます。)

(1) 私は走る。I run.　　私が走る。I run.
この日本語を英語に訳したい時に一般動詞をつかいます。
「私は」と「私が」の両方とも I で表します。
(2) 私は背がたかい。I am tall.
この日本語を英語に訳したい時に am という be 動詞をつかいます。

ここが大切

一般動詞は動作、または状態を表しているものがありますが、ほとんどの一般動詞は動作を表しています。**走る**時どこが動きますか。**足が動きます**。
このようにどこかが**動く動作を表しているもの**は**一般動詞**なのです。**be 動詞**は背がたかいのように**動作を表せないものの前**につかって正しい英文をつくるのです。
いいかえれば、ひとつの日本文を英語に訳そうとする時、一般動詞がない時は必ず主語(～は、～が)の次に is, am, are をおいてから次の単語をおかなければならないのです。

チェック　/　/　/　/　/

Q 013 動詞って どうやってつかうの？

例文

I run. (私は走る。)

You run. (あなたは走る。)

That boy runs. (あの少年は走る。)

Tony runs. (トニーは走る。)

He runs. (彼は走る。)

Tony and I run. (トニーと私は走る。)

We run. (私たちは走る。)

Those boys run. (あれらの少年たちは走る。)

They run. (彼らは走る。)

単語の発音

run〔ゥランヌ〕 runs〔ゥランズッ〕 Tony and I〔トーゥニィアンダーィ〕

主語+be動詞(I am)　主語+一般動詞 (I run.)
動詞は主語のうしろにくっつくんだよ

be 動詞が主語の次にきているときは、一般動詞をつかうことができません。
いいかえると、主語（～は、～が）の次に一般動詞がきていると、be 動詞を置く必要がないということです。
be 動詞、is, am, are のつかいわけを思い出して下さい。
おなじように一般動詞にもつかいわけがあります。
主語が I と You 以外で、主語が1人を表しているとき、主語の次にくる be 動詞は **is**, 一般動詞は、**runs** になります。

主語	be 動詞	一般動詞
私 あなた	**I am** **You are**	**I run.** **You run.**
1人	**He is** **Tony is**	**He runs.** **Tony runs.**
2人	**Tony and I are** **We are**	**Tony and I run.** **We run.**

チェック　／　／　／　／　／

014 ingってなに？

例文

I walk. (私は歩く。)

I am walking. (私は歩いています。)

You walk. (あなたは歩く。)

You are walking. (あなたは歩いています。)

Tony walks. (トニー君は歩く。)

Tony is walking. (トニー君が歩いています。)

Tony and I walk. (トニー君と私は歩く。)

Tony and I are walking. (トニー君と私は歩いています。)

単語の発音

walk〔ウォークッ〕walks〔ウォークッスッ〕walking〔ウォーキン・〕

ingは一般動詞につけて、状態を表す形容詞に変える役割。

英語の動作を表す一般動詞に **ing** をつけると、状態を表す形容詞に変わります。
主語（～は、～が）の次に一般動詞の walk（歩く）がくる時は be 動詞はきませんが、walking（歩いている）という形容詞がくる時は主語の次に is, am, are を置いてから walking を置かなければ正しい英文にはなりません。

I **walk**.（私は歩く。）
　動作

I am **walking**.（私は歩いています。）
　状態

Tony **walks**.（トニー君は歩く。）
　動作

Tony is **walking**.（トニー君は歩いています。）
　状態

ここが大切

「私はいそがしい。」という日本文をよく見てください。**私**の**状態**が**いそがしい**状態であることがわかります。
おなじように「私は歩いています。」も**私**の**状態**が**歩いている**状態であることがわかります。
つまり、**いそがしい**と**歩いている**はどちらも**形容詞**であることがわかります。このことから、I am +〔いそがしい、歩いている〕. とすれば、正しい英語になるのです。

チェック　／　／　／　／　／

Q 015 ingって どうやってつけるの？

CD 15　学習の目安 10分

例文

I run.（私は走る。）

I am running.（私は走っています。）

I swim.（私は泳ぐ。）

I am swimming.（私は泳いでいます。）

I read.（私は読書をする。）

I am reading.（私は読書をしています。）

I eat.（私は食べる。）

I am eating.（私は食べています。）

I walk.（私は歩く。）

I am walking.（私は歩いています。）

単語の発音

run〔ゥランヌ〕running〔ゥラニン・〕swim〔スウィムッ〕swimming〔スウィミン・〕read〔ゥリードゥッ〕reading〔ゥリーディン・〕eat〔イートゥッ〕eating〔イーティン・〕

アクセントの位置(いち)にア、イ、ウ、エ、オが1つか2つかでかわるよ。1つ→最後の文字を重(かさ)ねる　2つ→そのままingをつける

動作(どうさ)を表(あらわ)す動詞に ing をつけると、状態を表す形容詞(けいようし)になります。ここでは動詞に ing をつける時の注意について説明(せつめい)したいと思います。

run〔ウランヌ〕－ running〔**ウラ**ニン・〕
ア　ア

swim〔スウィムッ〕－ swimming〔ス**ウィ**ミン・〕
イ　イ

read〔ウリードゥッ〕－ reading〔**ウリー**ディン・〕
イイ　イイ

eat〔イートゥッ〕－ eating〔**イー**ティン・〕
イイ　イイ

walk〔ウオークッ〕－ walking〔**ウォー**キン・〕
オオ　オオ

下線を引いているところにアクセント（特に強く読むところ）があります。アクセントのところに、**ア**、**イ**、**ウ**、**エ**、**オ**が**ひとつ**ある時は**最後の文字を重(かさ)ねて** ing をつけます。アクセントの位置に**ア**、**イ**、**ウ**、**エ**、**オ**が**2つ**ある時は、ing を動詞のうしろに**そのままつける**だけでよいのです。

〔長沢式 ing のつけ方暗記法〕

1（いち）2（に）ing（アイエヌジー）・2（に）1（いち）ing

run - running
ア〔1〕〔2〕

speak - speaking
イイ〔2〕〔1〕

チェック　／　／　／　／　／

Q 016 ingをつかった文のつくりかたは？

例文

That dog is swimming.（あのイヌは泳いでいます。）
That is a swimming dog.（あれは泳いでいるイヌです。）
That swimming dog is Rex.
（あの泳いでいるイヌはレックスです。）

That dog is small.（あのイヌは小さい。）
That is a small dog.（あれは小さいイヌです。）
That small dog is Rex.（あの小さいイヌはレックスです。）

That cat is walking.（あのネコは歩いています。）
That is a walking cat.（あれは歩いているネコです。）
That walking cat is big.（あの歩いているネコは大きい。）

That cat is big.（あのネコは大きい。）
That is a big cat.（あれは大きいネコです。）
That big cat is running.（あの大きいネコは走っています。）

単語の発音

that dog〔ゼァッ・ドーッグッ〕that cat〔ゼァッ・キャットゥッ〕small〔スモーオ〕big〔ビッグッ〕swimming〔スウィミン・〕walking〔ウォーキン・〕running〔ゥラニン・〕

That dog is + swimming.
That is + a swimming dog.
の2パターンが基本です！

動作を表す動詞に **ing** をつけると、**〜している**という意味の**形容詞**になります。形容詞のつかいかたには、次の2種類があります。

That dog is + **swimming**.（あのイヌは泳いでいます。）

That is + a **swimming** dog.（あれは泳いでいるイヌです。）

swimming の代わりに、small（小さい）、big（大きい）などに置きかえることもできます。
swimming, small, big は形容詞なので、おなじつかいかたをすることができるからです。

That dog is ＋ **small**.（あのイヌは小さい。）

That is ＋ a **small** dog.（あれは小さいイヌです。）

1つの英文の中に**形容詞が2つ**入っていても正しい英文です。

That **walking** dog is ＋ **small**.
（あの歩いているイヌは小さい。）

That **small** dog is ＋ **swimming**.
（あの小さいイヌは泳いでいます。）

チェック / / / / /

Q 017 いつのことかを表す(あらわ)方法は？（1）

 CD 17　学習の目安 10分

例文

I am busy.（私(わたし)はいそがしい。）

I was busy.（私はいそがしかった。）

I will be busy.（私はいそがしいでしょう。）

I have been busy.（私はずっといそがしい。）

I am a teacher.（私は先生です。）

I was a teacher.（私は先生でした。）

I will be a teacher.（私は先生になるでしょう。）

I have been a teacher.（私はずっと先生です。）

単語の発音

busy〔ビズィ〕was〔ワズッ〕will be〔ウィオ　ビー〕teacher〔ティーチァ〕
have been〔ハヴッ　ビン〕have been a teacher〔ハヴッ　ビナ　ティーチァ〕

be動詞をつかって表すことができます。現在am　過去was　未来will be　過去から現在have been

「私はいそがしい。」という文には動詞がありません。
動詞がない場合は、I am のように **be動詞をおぎなって**から、いそがしいという**形容詞**を置けば正しい英文になります。
英語の busy（いそがしい）という形容詞には、**時制（いつのことか）**を表す力がないので、be動詞をつかっていつのことかを表さなければならないのです。

これだけは覚えましょう

現在　**am**〔アムッ〕（です）
過去　**was**〔ワズッ〕（でした）
未来　**will be**〔ウィオ　ビー〕（でしょう／～になるでしょう）
過去から現在　**have been**〔ハヴッ　ビン〕（ずっと～です）

I busy.〔完全な英語ではない〕
I **am** busy.（私はいそがしい。）
I **was** busy.（私はいそがしかった。）
I **will be** busy.（私はいそがしいでしょう。）
I **have been** busy.（私はずっといそがしい。）

チェック　/　/　/　/　/

Q 018 いつのことかを表す方法は？(2)

CD 18　学習の目安 15分

例文

My father is busy.（私の父はいそがしい。）

My father was busy.（私の父はいそがしかった。）

My father will be busy.（私の父はいそがしいでしょう。）

My father has been busy.（私の父はずっといそがしい。）

You are a teacher.（あなたは先生です。）

You were a teacher.（あなたは先生でした。）

You will be a teacher.（あなたは先生になるでしょう。）

You have been a teacher.（あなたはずっと先生です。）

単語の発音

my〔マーィ〕father〔ファーざァ〕were〔ワァ〕have been busy〔ハヴ　ビン　ビズィ〕

現在is, am, are
過去was, were
過去から現在have been, has been

A

ここでは be 動詞の変化についてもう少しくわしく考えたいと思います。

〈現在形と過去形の関係について〉

I am → I **was**

You are → You **were**

He is → He **was**

We are → We **were**

w は過去を表す文字と考えてよいでしょう。

was は **w** + **amis** → was のように覚えられます。

〈過去から現在の be 動詞の変化について〉

I am → I **have been**

You are → You **have been**

He **is** → He **has been**

過去から現在までを表したいときは、be 動詞の現在形の is をつかう時だけ have が has に、その他は have been になります。

チェック ／ ／ ／ ／ ／

Q 019 be動詞ってどうかわるの？

CD 19　学習の目安 20分

例文

Tony is not busy.（トニーはいそがしくない。）

Tony was not busy.（トニーはいそがしくなかった。）

Tony will not be busy.（トニーはいそがしくないでしょう。）

Tony has not been busy since yesterday.

（トニーはきのうからいそがしくない。）

Tony isn't busy.（トニーはいそがしくない。）

Tony wasn't busy.（トニーはいそがしくなかった。）

Tony won't be busy.（トニーはいそがしくないでしょう。）

Tony hasn't been busy since yesterday.

（トニーはきのうからいそがしくない。）

You aren't busy.（あなたはいそがしくない。）

You weren't busy.（あなたはいそがしくなかった。）

You won't be busy.（あなたはいそがしくないでしょう。）

You haven't been busy since yesterday.

（あなたはきのうからいそがしくない。）

単語の発音

Tony〔トーゥニィ〕 hasn't〔ヘァズントゥ〕

A

〔原形〕	〔現在形〕	〔過去形〕	〔過去分詞形〕	〔現在分詞形〕
be	**is/am**	**was**	**been**	**being**
〔ビー〕	**are**	**were**	〔ビンヌ〕	〔ビーイン・〕

be動詞について説明したいと思います。

be動詞には上のような変化があります。

	〔現在〕	〔過去〕
〔主語が I〕	I **am**	I **was**
〔主語が You〕	You **are**	You **were**
〔主語が1人〕	Tony **is**	Tony **was**
〔主語が2人〕	We **are**	We **were**

このように主語の次に is, am, are, was, were がきます。

これは I が am, You が are, Tony が is, We が are を自分の力でいろいろな be動詞の中から選んでいるのです。ところが、次のような例では話がちがってくるのです。

I **will be**

Tony **will be**

You **will be**

I, Tony, You の次に will がきているので、I, Tony, You は is am are の中から適当な be動詞を選ぶことができません。そしてwill にも be動詞の中から is am are を選ぶ力がないので、しかたなく be をつかっているのです。次のような例もあります。

I **have been**　　Tony **has been**

主語の次に have や has がきている時は必ず **been** をつかわなければなりません。**過去**の意味を表したいので、**過去分詞形**をつかっているのです。

チェック　/　/　/　/　/

Q 020 きょうとかきのうってなんていうの？

CD 20　学習の目安 10分

例文

today （きょう）

yesterday （きのう）

tomorrow （あした）

since yesterday （きのうから）

now （今）

then （その時）

since then （その時から今まで）

単語の発音

today〔チュデーィ〕yesterday〔いェスタデーィ〕tomorrow〔チュモーゥローゥ〕now〔ナーゥ〕then〔ぜェンヌ〕since yesterday〔スィンスッ　いェスタデーィ〕since then〔スィンスッ　ぜェンヌ〕

きょう＝today きのう＝yesterday 他にもよくつかう時を表す単語や語句を覚えていこう！

A

ここで覚えていただきたい表現は、時を表す単語、または語句です。時を表す単語は**副詞**です。

副詞の働きはかんたんにいうと、**付け加え（おまけ）**と考えられます。

(1) 私は今いそがしい。

(2) 私はきょういそがしい。

(3) 私はきのういそがしかった。

(4) 私はあしたいそがしいでしょう。

(5) 私はきのうから（ずっと）いそがしい。

この (1) ～ (5) の日本文の中で、付け加えた言葉があれば、その言葉が副詞の働きをしている言葉なのです。

(1) 私はいそがしい＋**今**〔now〕

(2) 私はいそがしい＋**きょう**〔today〕

(3) 私はいそがしかった＋**きのう**〔yesterday〕

(4) 私はいそがしいでしょう＋**あした**〔tomorrow〕

(5) 私は（ずっと）いそがしい＋**きのうから**〔since yesterday〕

ここが大切

きのうから今までー **since yesterday**
から　きのう

英語では疑問がうまれるような単語を先に置いて、その疑問に答えていくのです。

since は～から今まで

から今まで〈いつから？〉**きのう**ー **since**〈いつから？〉**yesterday**

チェック　/　/　/　/　/

Q 021 「きのうからずっといそがしい。」ってなんていうの？

CD 21　学習の目安 15分

例文

I am busy today. (私はきょういそがしい。)

I was busy yesterday. (私はきのういそがしかった。)

I have been busy since yesterday.

(私はきのうからいそがしい。)

I will be busy tomorrow. (私はあしたいそがしいでしょう。)

Tony is busy now. (トニーは今いそがしい。)

Tony was busy then. (トニーはその時いそがしかった。)

Tony has been busy since then.

(トニーはその時から今までずっといそがしい。)

Tony will be busy tomorrow.

(トニーはあしたいそがしいでしょう。)

単語の発音

Tony〔トーゥニィ〕busy〔ビズィ〕

I have been busy since yesterday.

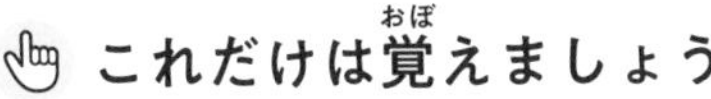

これだけは覚(おぼ)えましょう

現在	過去	過去から現在	未来
is	was	**has** been	will be
am	was	**have** been	will be
are	were	**have** been	will be

is の時だけ has been になります。

〈ここが知りたい〉

しつもん！ なぜ過去から現在のことを have been または has been をつかって表(あらわ)すのですか。

次のように考えましょう。

I am busy now.

＋ **I was busy yesterday.**

→I **am** **was** busy **now** yesterday.

→I **have** **been** busy **since** yesterday.

was busy いそがしかった状態(じょうたい)を**今ももっている**と考えてください。

been busy　　have

now が since になっている理由は、since には**～から今まで**という now の意味がふくまれているからです。

チェック　/　/　/　/　/

Q 022 天気をつたえたいときは？

CD 22　学習の目安 15分

例文

It rains. (雨が降る。)

It snows. (雪が降る。)

It rained. (雨が降った。)

It snowed. (雪が降った。)

It is raining. (雨が降っています。)

It is snowing. (雪が降っています。)

It was raining. (雨が降っていた。)

It was snowing. (雪が降っていた。)

It will be raining. (雨が降っているでしょう。)

It will be snowing. (雪が降っているでしょう。)

It has been raining. (雨がずっと降っています。)

It has been snowing. (雪がずっと降っています。)

単語の発音

rains〔ゥレーィンズッ〕snows〔スノーゥズッ〕rained〔ゥレーィンドゥッ〕
snowed〔スノーゥドゥッ〕raining〔ゥレーィニン・〕
snowing〔スノーゥウィン・〕

It+天気を表す一般動詞
It+be動詞+天気を表す一般動詞ing
It rains. It is snowing.

天気を表す時は、**It から始める**と覚えておきましょう。

rains（雨が降る）　　snows（雪が降る）

この2つの動詞も、もともとは rain と snow ですが、It の次には動詞を置かなければならないので、**rains** や **snows** になっているのです。

rain と snow に ing をつけると、rain**ing**（雨が降っている）、snow**ing**（雪が降っている）という形容詞になるので、it と raining または snowing の間に be 動詞の is を入れなければならないのです。

形容詞には、時制（いつのことか）を表す力がないので、**現在**のことを表している時は、**is**, **過去**のことならば **was**, **未来**のことは **will be**, **過去から現在**を表したい時は **has been** をつかって表します。

It **is** raining.（雨が降っています。）

It **was** raining.（雨が降っていました。）

It **will be** raining.（雨が降っているでしょう。）

It **has been** raining.（雨がずっと降っています。）

チェック　／　／　／　／　／

Q 023 「今、雨が降っています。」を英語にできる？

CD 23　学習の目安 15分

例文

It is raining now.（今、雨が降っています。）

It was raining yesterday.（きのう、雨が降っていました。）

It has been raining since yesterday.

（きのうから今まで、雨が降っています。）

It will be raining tomorrow.

（あしたは、雨が降っているでしょう。）

It is snowing now.（今、雪が降っています。）

It was snowing then.（その時、雪が降っていました。）

It has been snowing since then.

（その時から今まで、雪が降っています。）

It will be snowing tomorrow.

（あしたは、雪が降っているでしょう。）

単語の発音

now〔ナーゥ〕yesterday〔いェスタデーィ〕tomorrow〔チュモーゥローゥ〕

since〔スィンスッ〕then〔ぜェンヌ〕

It is raining now.
「一番いいたいこと＋ 付け加えの言葉（ことば）」が基本（きほん）！

(1) 今、雨（あめ）が降（ふ）っています。
(2) きのう、雨が降っていました。
(3) きのうから今まで、雨が降っています。
(4) あしたは、雨が降っているでしょう。

この4つの日本文を英文に訳（やく）したい時は、次のように考えてください。

一番いいたいこと + **付け加えの言葉（ことば）**
何がどんな状態か　副詞または副詞相当語句（ふくしそうとうごく）

(1) は**現在**のことを表（あらわ）しているので、
It is raining + **now**.
(2) は**過去**のことを表しているので、
It was raining + **yesterday**.
(3) は**過去から現在**のことを表しているので、
It has been raining + **since yesterday**.
(4) は**未来**のことを表しているので、
It will be raining + **tomorrow.**

チェック ▸ / / / / /

024 前置詞ってなに？

例文

at six（6時に）

at night（夜に）

on Sunday（日曜日に）

on May (the) first（5月1日に）

on a nice day（ある晴れた日に）

in spring（春に）

in May（5月に）

in the morning（午前中〔に／は〕）

in the afternoon（昼から）

in the evening（夕方〔に／は〕夜〔に／は〕）

単語の発音

at〔アットゥッ〕six〔スィックッスッ〕on〔オン／アン〕Sunday〔サンデーィ〕

May the first〔メーィ　ざ　ファ～ストゥッ〕

on a nice day〔オナ　ナーィスッ　デーィ〕spring〔スプゥリン・〕

the morning〔ざ　モーニン・〕the afternoon〔ずィ　エァフタヌーンヌ〕

the evening〔ずィ　イーヴッニン・〕night〔ナーィトゥッ〕

前置詞＝名詞の前に置く詞
日本語の、に、で、へ、の、から、といっしょに、上に、下に、そばに、前に、うしろになどをあらわせるよ。

英語には**前置詞**という考え方があります。
「6時に」という日本語を英語に訳したい時に、**に＋ 6時**＝ **at six** のように考えてから英語にしなければなりません。
前置詞とは「**名詞の前に置く詞**」と覚えてください。
日本語の、に、で、へ、の、から、といっしょに、上に、下に、そばに、前に、うしろになどを英語に訳したいときに「前置詞」をつかって英語に訳さなければならないのです。
英語では意味のわかりにくい言葉を先に置くと、次に疑問がうまれるのです。そして、その疑問に答えながら英語にしていくという考え方になっています。

に〈何時に？〉6時＝ **at** six
に〈どこに？〉東京＝ **in** Tokyo
いっしょに〈だれといっしょに〉トニー＝ **with** Tony〔ウィずッ　トーゥニィ〕

これだけは覚えましょう

at － **あっと**いう間に過ぎる時間を表す時
in － 活動をしている時、長い時間、または期間を表す時
on － 日を表している時

たとえば、「夜に」は英語で、活動している時につかう in the evening と、寝てあっという間に過ぎる時につかう at night があります。

チェック　／　／　／　／　／

Q 025 this morningとin the morningはおなじ？

 CD 25　学習の目安 15分

例文

this morning（今朝）

this afternoon（きょうの昼から）

this evening（今晩／きょうの夕方）

tonight（今晩）

tomorrow morning（あしたの朝）

yesterday morning（きのうの朝）

tomorrow afternoon（あしたの昼から）

yesterday afternoon（きのうの昼から）

in the morning（午前中〔に、は〕）

in the afternoon（昼から）

in the evening（夕方〔に、は〕／夜〔に、は〕）

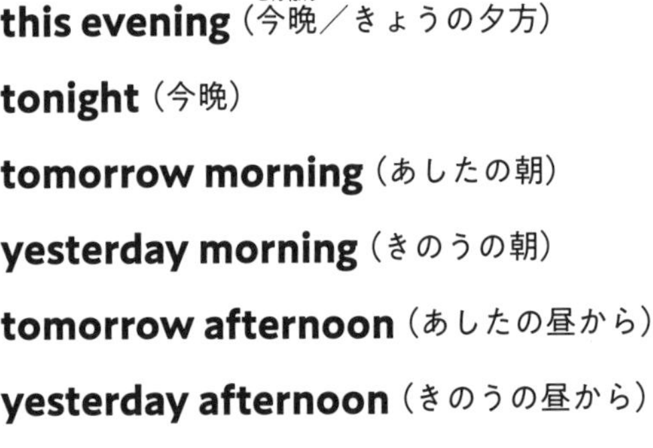

単語の発音

morning〔モーニン・〕afternoon〔エァフタヌーンヌ〕

evening〔イーヴッニン・〕tonight〔チュナーィトゥ〕

tomorrow〔チュモーゥローゥ〕yesterday〔いェスタデーィ〕

ちがうよ。this morning=今朝
in the morning=午前中〔に、は〕
this morningは時が限定(げんてい)されるよ。

英語では、**前置詞(ぜんちし)+ 名詞(めいし)**= **副詞**という考え方があります。

前置詞+ 名詞

in + the morning（午前中〔に、は〕）

in + the afternoon（昼から）

in + the evening（夕方〔に、は〕／夜〔に、は〕）

この3つの表現(ひょうげん)は全体としては、**副詞相当語句(ふくしそうとうごく)**で、次のようなつかい方をします。

意味のわかる英文＋ **副詞相当語句（付け加えの言葉）**

I am busy 私はいそがしい	＋	**in the morning.** 午前中は
I am busy 私はいそがしい	＋	**in the afternoon.** 昼から
I am busy 私はいそがしい	＋	**in the evening.** 夕方は

ただし、in the〔morning, afternoon, evening〕の in the の代(か)わりに **this や tomorrow, yesterday をつかうと** this morning, this afternoon, this evening,
tomorrow morning, yesterday morning で**副詞相当語句になる**ために in をつける必要(ひつよう)がなくなります。

チェック　／　／　／　／　／

Q 026 inとatのちがいは？

例文

in Japan（日本に）

in Tokyo（東京に）

at 50 Aoyama Street（青山通り50番地に）

on Aoyama Street（青山通りに）

by Tokyo Tower（東京タワーのそばに）

near Tokyo（東京の近くに）

to Tokyo（東京へ）

for Tokyo Station（東京駅へ向かって）

in

at

単語の発音

Japan〔ヂァペァンヌ〕50〔フィフティ〕Street〔スチュリートゥッ〕

Tower〔ターゥァ〕by〔バーィ〕near〔ニアァ〕for〔フォ／ファ〕

Station〔ステーィシュンヌ〕

ある場所を広いと考えるとin
ある場所を狭いまたは一地点と考えるとat

ここでは場所を表す前置詞について説明したいと思います。
in と at のちがいをまず覚えてください。

ある場所を**広い**と考えると **in**
ある場所を**狭い**または**一地点**と考えると **at**

つまり、時と場合によって in をつかったり at をつかったりすると考えることができます。
ただし、だれが考えても広いと考えられる国、大陸、州などは in に決まっています。
たとえば、live〔リヴ〕住むという動詞の場合を考えてみましょう。

live **in** Japan（日本に住んでいる）
live **in** Tokyo（東京に住んでいる）
live **at** 50 Aoyama Street（青山通り50番地に住んでいる）

この3つの例は広いと感じるか、狭いと感じるかがはっきりとしているので、まようことはありません。

live **on** Aoyama Street（青山通りに住んでいる）

この場合、on がきているのは次のような理由によります。
at は**一地点**、**on** は**平面**、**in** は**立体**を表していると覚えておくとわかりやすいですよ。

チェック　/　/　/　/　/

027 byとnearっておなじ？

例文

I live in Japan. （私は日本に住んでいます。）

I live in Tokyo. （私は東京に住んでいます。）

I live at 50 Aoyama Street.

（私は青山通り50番地に住んでいます。）

I live on Aoyama Street. （私は青山通りに住んでいます。）

I live by Tokyo Tower.

（私は東京タワーのそばに住んでいます。）

I live near Tokyo. （私は東京の近くに住んでいます。）

I go to Tokyo. （私は東京へ行く。）

I leave for Tokyo Station.

（私は東京駅へ向かって出発します。）

単語の発音

live〔リヴッ〕 leave〔リーヴッ〕

by（そば） near（近くに）なのでほとんどおなじ！
でもbyは見えることが前提！

by と near のちがいについて考えてみましょう。

I live **by** Tokyo Tower.（私は東京タワーの**そばに**住んでいます。）

I live **near** Tokyo.（私は東京**の近くに**住んでいます。）

by と near はほとんどおなじ意味なので、どちらもおなじようにつかえる時もありますが、たまにつかえない時があります。

I live **by** Tokyo Tower. は私は東京タワーの**そばに住んでいて**、東京タワーを**見ることができます**。という意味を表しています。

それに対して、I live **near** Tokyo Tower. は、私は（**地理的にいって**）東京タワーの**近くに住んでいます**。という意味を表しています。

上の2つの例からわかることは、I live by Tokyo. ということができないということです。

理由は東京が見えるところに住んでいる、ということはありえないからです。

次に **to** と **for** について考えてみましょう。

I go **to** Tokyo.（私は東京へ行く。）

I leave **for** Tokyo Station.（私は東京駅へ向かって出発する。）

to は**目的地**を表しているのに対して、**for** は**方向**を表しています。

チェック　／　／　／　／　／

Q 028 next、last、everyのつかいかたは？

 CD 28　学習の目安 10分

例文

next year (来年)

last year (去年)

next week (来週)

last week (先週)

next Sunday (次の日曜日)

last Sunday (前の日曜日)

every year (毎年)

every week (毎週)

every Sunday (毎週日曜日)

every morning (毎朝)

単語の発音

next〔ネクッスットゥッ〕last〔レァストゥッ〕every〔エヴゥリィ〕year〔いヤァ〕week〔ウィークッ〕Sunday〔サンデーィ〕morning〔モーニン・〕

next（次の）、last（前の）、every（どの）は year（年）、week（週）、Sunday（日曜日）、morning（朝）などの名詞 とくっつける！

A

next（次の）、last（前の）、every（どの）の次に year（年）、week（週）、Sunday（日曜日）、morning（朝）などの単語がきていると、**副詞相当語句**（ふくしそうとうごく）となります。

today（きょう）、yesterday（きのう）、tomorrow（あした）も副詞なので、おなじつかいかたをするのです。

I was busy ＋ last year.（去年（きょねん）は）
（私（わたし）はいそがしかった） yesterday（きのうは）

I will be busy ＋ next year.（来年は）
（私はいそがしいでしょう） tomorrow（あしたは）

I am busy ＋ every Sunday.（毎週（まいしゅう）日曜日は）
（私はいそがしい） every morning（毎朝（まいあさ））
today（きょうは）

チェック / / / / /

029 つまり副詞ってなに？

例文

I study every day. (私は毎日勉強します。)

I study in the morning. (私は午前中に勉強します。)

I study in the afternoon. (私は昼から勉強します。)

I study in the evening. (私は夕方に勉強します。)

I studied yesterday. (私はきのう勉強した。)

I studied this morning. (私は今朝勉強した。)

I studied yesterday morning. (私はきのうの朝勉強した。)

単語の発音

study〔スタディ〕studied〔スタディドゥッ〕

副詞は「だれがどうする」の次に付け加えとしてつかう言葉
前置詞+名詞=副詞相当語句=副詞

〔前置詞＋ 名詞〕＝〔副詞相当語句〕

in the morning

in the afternoon

in the evening

〔副詞相当語句〕

every day

this morning

yesterday morning

〔副詞〕

yesterday

前置詞＋ 名詞＝ 副詞相当語句＝ 副詞

これらの副詞の働きをする言葉は、**だれがどうする**の次に**付け加え**としてつかう働きがあります。

I study ＋ **in the morning.**（午前中に）
私は勉強する **every day**（毎日）
I studied ＋ **yesterday morning.**（きのうの朝）
私は勉強した **this morning**（今朝）
yesterday（きのう）

チェック　／　／　／　／　／

030 hereのつかいかたは？

例文

here（ここに／ここへ／ここで）

there（そこに／そこへ／そこで）

over here（ここで／こちらに）

over there（あそこで／向こうに）

in Tokyo（東京に）

to Tokyo（東京へ）

home（我が家へ／我が家に／在宅して）

at home（在宅して／自宅で）

downtown（中心部へ／中心部で）

overseas（海外へ／海外に／海外で）

単語の発音

here〔ヒアァ〕over〔オーゥヴァ〕there〔ぜアァ〕home〔ホーゥムッ〕
downtown〔ダーゥンターゥンヌ〕overseas〔オーゥヴァスィーズッ〕

hereは副詞のため前置詞なしでつかえるよ。
I am here.

A

日本語の**へ**、**に**、**で**などがついていると、英語に訳す時に**前置詞 + 名詞**になることが多いのですが、**前置詞＋名詞**＝**副詞相当語句**＝**副詞**の関係を思い出してください。
はじめから副詞であれば、前置詞をつかう必要がないのです。

here（ここに／ここへ／ここで）
there（そこに／そこへ／そこで）
over here（ここで／こちらに）
over there（あそこで／向こうに）
downtown（中心部へ／中心部で）
overseas（海外へ／海外に／海外で）

ここが大切

home だけで**我が家へ**、**我が家に**、**在宅して**という副詞なのですが、**at home** のように**前置詞＋名詞**のパターンで**在宅して**という意味を表す場合があります。

（例）私たちは家にいました。
We were **home**.
We were at **home**.

チェック ／ ／ ／ ／ ／

Q 031 hereとthereのちがいは？

例文

Tony lives overseas.（トニーは海外に住んでいます。）

Tony lives downtown.

（トニーは町の中心部に住んでいます。）

That is my father's house.（あれは私の父の家です。）

I live there.（私はそこに住んでいます。）

This is my uncle's house.（これは私のおじの家です。）

I am living here.（私は（今は）ここに住んでいます。）

Tony is over there.（トニーはあそこにいますよ。）

Tony is over here.（トニーはこちらにいます。）

単語の発音

father's〔ファーざァズッ〕uncle's〔アンコーズッ〕house〔ハーゥスッ〕

living〔リヴィン・〕Tony〔トーゥニィ〕

there→話し手から離(はな)れているときにつかう。here→話し手の近くにいるとき、または話し手のいる場所を表(あらわ)す。

here と there は話の中でもうすでに出てきた語句の代(か)わりにつかわれることがあります。

(1) 話し手から離れている時は、there をつかいます。
(2) 話し手の近くにいる時、または話し手のいる場所を here で表すことができます。

〔over のつかい方〕
over には**少し離れて**という意味があります。

over here（こちらに）
over there（あちらに）

〔's のつかい方〕
my father（私(わたし)の父）→ my father's（私の父**の**）
my uncle（私のおじ）→ my uncle's（私のおじ**の**）
Tony（トニー）→ Tony's（トニー**の**）

〔live と am living のつかい分け方〕
ずっと住んでいるのなら、live
一時的(いちじてき)に住んでいるのなら、am living

チェック / / / / /

Q 032 alwaysって10日中何日？

例文

always（いつも）

usually（普通は）

often（よく／しばしば）

sometimes（時々）

seldom（めったに～ない）

never（決して～ない）

単語の発音

always〔オーオウェーィズッ〕usually〔ユージュアリィ〕often〔オーフンヌ〕
sometimes〔サムッターィムズッ〕seldom〔セオダムッ〕never〔ネヴァ〕

alwaysは10日中10日。他にも頻度を表す単語を覚えていこう！

頻度を表す副詞があります。
仮に10日を基準にして考えると次のようになります。

always（いつも）は10日のうちの10日
usually（普通は）は10日のうちの9日
often（しばしば／よく）は10日のうちの5日～7日
sometimes（時々）は10日のうちの3日～4日
seldom（めったに～ない）は10日のうちの1日～2日
never（決して～ない）は10日のうちの0日

普通の副詞は、文章の最後に付け加えとして置くことが多いのですが、**頻度を表す副詞**は文章の最後に置くことはほとんどありません。ただし、sometimes や often だけは文章の最後や文章の頭にくることもあります。

チェック　／　／　／　／　／

Q 033 alwaysって どこに入れるの？

CD 33　学習の目安 20分

例文

I am busy.（私はいそがしい。）

I'm busy.（私はいそがしい。）

I am not busy.（私はいそがしくない。）

I'm not busy.（私はいそがしくない。）

I am always busy.（私はいつもいそがしい。）

I'm always busy.（私はいつもいそがしい。）

I study English.（私は英語を勉強します。）

I do not study English.（私は英語を勉強しません。）

I don't study English.（私は英語を勉強しません。）

I always study English.（私はいつも英語を勉強します。）

単語の発音

busy〔ビズィ〕I'm〔アーィムッ〕not〔ナットゥッ〕study〔スタディ〕don't〔ドーゥントゥッ〕= do not〔ドゥ　ナットゥッ〕English〔イングリッシッ〕

alwaysはnotが入る位置に入れる。頻度を表す単語はみんなnotの位置に入るよ！

頻度を表す副詞は、**notが入る位置に入れる**と覚えましょう。not（～ではない）を入れる位置は次のように考えるとすぐにわかります。

I am busy. → I am（私です）　I busy（私はいそがしい）

どちらの方がよく意味がわかりますか？よくわかる方にnotを入れます。この場合は、I busy（私はいそがしい）の方がよく意味がわかるので、I am **busy**. notをbusyの前に入れます。

I am **not**（～ではない）**busy**.

alwaysを入れたい時は、notとおなじところに入れます。

I am **always**（いつも）**busy**.

I study English.

→ I study（私は勉強する）　I English（私は英語）

どちらの方がよく意味がわかるかを考えます。I study（私は勉強する）の方が意味がよくわかるので、don'tを入れます。

I **don't**（しません）**study** English.

I **always**（いつも）**study** English.

これだけは覚えましょう

I am = I'm

I am not = I'm not

I do not = I don't

チェック　/　/　/　/　/

Q 034 日本語を英語にするときのコツは？

CD 34　学習の目安 20 分

例文

I am not busy.（私はいそがしくない。）

I was not busy.（私はいそがしくなかった。）

I will not be busy.（私はいそがしくないでしょう。）

I'm not busy.（私はいそがしくない。）

I wasn't busy.（私はいそがしくなかった。）

I won't be busy.（私はいそがしくないでしょう。）

I do not study.（私は勉強しない。）

I did not study.（私は勉強しなかった。）

I will not study.（私は勉強するつもりはありません。）

I don't study.（私は勉強しない。）

I didn't study.（私は勉強しなかった。）

I won't study.（私は勉強するつもりはありません。）

単語の発音

wasn't〔ワズントゥッ〕didn't〔ディ・ントゥッ〕don't〔ドーゥントゥッ〕
won't〔ウォーゥントゥッ〕busy〔ビズィ〕study〔スタディ〕

動作または状態があるかを見きわめること。be動詞をつかうか一般動詞をつかうかで判断できるよ。

日本語を英語に訳そうとする時に、動作または状態を表す動詞があるかないかをよく見きわめる必要があります。

もし、動詞がなければ

I am

I was

I will be

もし、動詞があれば

I do

I did

I will

動詞があってもなくても、**〜ではない**の意味がふくまれている日本語を英語に訳したい時は、

動詞がなければ、

I am not または I'm not

I was not または I wasn't

I will not be または I won't be

動詞があれば

I do not または I don't

I did not または I didn't

I will not または I won't

チェック　/　/　/　/　/

035 英語で否定をしたいときは？

例文

I'm not busy. (私はいそがしくない。)

You aren't busy. (あなたはいそがしくない。)

Tony isn't busy. (トニーはいそがしくない。)

I wasn't busy. (私はいそがしくなかった。)

You weren't busy. (あなたはいそがしくなかった。)

Tony wasn't busy. (トニーはいそがしくなかった。)

I don't study. (私は勉強しません。)

You don't study. (あなたは勉強しません。)

Tony doesn't study. (トニーは勉強しません。)

I didn't study. (私は勉強しなかった。)

You didn't study. (あなたは勉強しなかった。)

Tony didn't study. (トニーは勉強しなかった。)

単語の発音

doesn't〔ダズントゥッ〕

動詞がない場合→I'm not
動詞がある場合→I don't
主語や時制によって少し変わるから注意！

ここが大切

次のように覚えておきましょう。

現在時制	→ 過去時制
amis	→ was
are	→ were

ここをまちがえる

I'm not はありますが、I amn't はありません。

動詞がない場合	動詞がある場合
〔現在〕	〔現在〕
I'm not	**I don't**
You aren't	**You don't**
Tony isn't	**Tony doesn't**
〔過去〕	〔過去〕
I wasn't	**I didn't**
You weren't	**You didn't**
Tony wasn't	**Tony didn't**

チェック　/　/　/　/　/

036 質問したいときは？(1)

学習の目安 15分

例文

Are you busy?（あなたはいそがしいですか。）

Is Tony busy?（トニーはいそがしいですか。）

Were you busy yesterday?

（あなたはきのういそがしかったですか？）

Was Tony busy yesterday?

（トニーはきのういそがしかったですか？）

Do you speak English?（あなたは英語を話しますか？）

Does Tony speak Japanese?

（トニーは日本語を話しますか？）

Did you run yesterday?（あなたはきのう走りましたか？）

Did Tony run yesterday?（トニーはきのう走りましたか？）

単語の発音

busy〔ビズィ〕yesterday〔いェスタデーィ〕speak〔スピークッ〕English〔イングリッシッ〕Japanese〔ヂェァパニーズッ〕

〔動詞がある場合〕Do you ～？　Does Tony ～？
〔動詞がない場合〕Are you ～？　Is Tony ～？

日本語を英語に訳(やく)す時は、次の点に注意(ちゅうい)してください。
訳そうとする日本語の中に動詞があるかないかをまず見きわめてください。
もし、**～ですか**、**～しますか**のような**疑問文**(ぎもんぶん)になっている場合は、次のどちらかのパターンになります。

〔動詞がある場合〕

Do you ～？

Does Tony ～？

〔動詞がない場合〕

Are you ～？

Is Tony ～？

もし、**～でしたか**、**～しましたか**のように過去の疑問文になっている場合は、

〔動詞がある場合〕

Did you ～？

Did Tony ～？

〔動詞がない場合〕

Were you ～？

Was Tony ～？

チェック　／　／　／　／　／

037 質問したいときは？(2)

例文

Are you ～？（あなたは～ですか？）
Am I ～？（私は～ですか？）
Is your father ～？（あなたのお父さんは～ですか？）
Is Tony ～？（トニーは～ですか？）
Are you ～？（あなたたちは～ですか？）
Are we ～？（私たちは～ですか？）
Are they ～？（〔彼ら／彼女たち〕は～ですか？）
Are you and I ～？（あなたと私は～ですか？）
Do you ～？（あなたは～しますか？）
Do I ～？（私は～しますか？）
Does your father ～？（あなたのお父さんは～しますか？）
Does Tony ～？（トニーは～しますか？）
Do you ～？（あなたたちは～しますか？）
Do they ～？（〔彼ら／彼女たち〕は～しますか？）
Do you and I ～？（あなたと私は～しますか？）

単語の発音

your father〔ヨアァ　ファーざァ〕we〔ウィー〕they〔ぜーィ〕

過去の質問をしたいときは
動詞がない場合→Were you ～?
動詞がある場合→Did you ～?

～ですか、～しますか、～でしたか、～しましたかで終わる文を**疑問文**(ぎもんぶん)といいます。

疑問文の場合、動詞があるかないかによって次のうちのどちらかのパターンをつかって英語に訳(やく)します。

〔動詞がない場合〕

	〈現在〉	〈過去〉
〔あなたの場合〕	**Are you ～ ?**	**Were you ～ ?**
〔私(わたし)の場合〕	**Am I ～ ?**	**Was I ～ ?**
〔主語が1人の場合〕	**Is + 主語～ ?**	**Was + 主語～ ?**
〔主語が2人の場合〕	**Are + 主語～ ?**	**Were + 主語～ ?**

〔動詞がある場合〕

	〈現在〉	〈過去〉
〔あなたの場合〕	**Do you ～ ?**	**Did you ～ ?**
〔私の場合〕	**Do I ～ ?**	**Did I ～ ?**
〔主語が1人の場合〕	**Does + 主語～ ?**	**Did + 主語～ ?**
〔主語が2人の場合〕	**Do + 主語～ ?**	**Did + 主語～ ?**

チェック　/　/　/　/　/

038 質問に答えるときは？

CD 38　学習の目安 15分

例文

Is this your pen?（これはあなたのペンですか？）

Yes, it is.（はい、そうです。）

No, it isn't.（いいえ、ちがいます。）

Are you a teacher?（あなたは先生ですか？）

Yes, I am.（はい、そうです。）

No, I'm not.（いいえ、ちがいます。）

Is that boy Tony?（あの少年(しょうねん)はトニーですか？）

Yes, he is.（はい、そうです。）

No, he isn't.（いいえ、ちがいます。）

単語の発音

Yes, it is.〔いェスッ　イティイズッ〕No, it isn't.〔ノーゥ　イティイズン・〕
I'm〔アーィムッ〕teacher〔ティーチァ〕

Yes, it is.　No, it isn't.　これが基本の形。「はい」「いいえ」で答えるときは必ず代名詞をつかうよ。

A

これだけは覚えましょう

疑問文に対して、「はい。」または「いいえ。」で答えるときは必ず**代名詞**をつかってください。

this（これ）→ **it**（それ）

that boy（あの少年）→ **he**（彼）

（例）Is **this** your pen?

Yes, **it** is.

No, **it** isn't.

No, **it's** not.

Is **that boy** Tony?

Yes, **he** is.

No, **he** isn't.

ここが大切

Are you ～？（あなたは～ですか？）

でたずねられたら、Yes, I am. または No, I'm not. と答えてください。

ここをまちがえる

〔○〕No, I'm not.

〔×〕No, I amn't.

チェック ／ ／ ／ ／ ／

Q 039 「おなかがすいていませんか？」ときかれたら？

CD 39　学習の目安 15分

例文

Are you hungry?（あなたはおなかがすいていますか？）

Yes, I am.（はい、すいています。）

No, I'm not.（いいえ、すいていません。）

Aren't you hungry?（あなたはおなかがすいていませんか？）

Yes, I am.（いいえ、すいています。）

No, I'm not.（はい、すいていません。）

Is this seat taken?（この席はふさがっていますか？）

Yes, it is.（はい、ふさがっています。）

No, it's not.（いいえ、ふさがっていません。）

No, it isn't.（いいえ、ふさがっていません。）

単語の発音

hungry〔ハングゥリィ〕 aren't you〔アンチュー〕 seat〔スィートゥッ〕
taken〔テーィクンヌ〕 it isn't〔イティイズン・〕 it is〔イティイズッ〕
it's〔イッツッ〕

Yes, I am.（すいています。）
No, I'm not.（すいていません。）

ここをまちがえる

相手がどのような聞き方をしてきても、Yes. といえば**〜です**、No. といえば、**〜ではありません**という意味を表します。

あなたはおなかがすいていますか？

Are you hungry?

Yes, I am.（はい、すいています。）

No, I'm not.（いいえ、すいていません。）

あなたはおなかがすいていませんか？

Aren't you hungry?

Yes, I am.（すいています。）

No, I'm not.（すいていません。）

日本語では、いいえ、すいています。はい、すいていません。のように答えますが、英語では、Yes. といえばすいています。No. といえば**すいていません**を表します。

ここが大切

「この席は空いていますか？」を英語では " **Is this seat taken?**" といいます。日本語に訳すと**この席はふさがっていますか？**という意味ですが、この英語がよくつかわれます。

チェック　/　/　/　/　/

Q 040 「わかりませんか？」ときかれたら？

CD 40　学習の目安 15 分

例文

Do you understand?（わかりましたか？）

Yes, I do.（はい。）

No, I don't.（いいえ。）

Don't you understand?（わかりませんか？）

Yes, I do.（いいえ、わかります。）

No, I don't.（はい、わかりません。）

単語の発音

understand〔アンダァスッテァンドゥッ〕don't you〔ドーゥンチュー〕

「わかりますか？」「わかりませんか？」どちらできかれても わかる→Yes.　わからない→No.で答えよう。

ここが大切

「わかりましたか？」と今いっているので、「わかりますか？」という意味を表(あらわ)していると考えて "Do you understand?" といいます。

ここをまちがえる

日本語と英語の「はい」と「いいえ」のつかいかたがちがうので、注意が必要(ひつよう)です。

Don't you understand?（わかりませんか？）
Yes. といってしまうと、
I understand.（私はわかっています。）
No. といってしまうと、
I don't understand.（私はわかりません。）を意味します。

このことから、
　Yes, I do. は「わかります。」
　No, I don't. は「わかりません。」
つまり、日本語に訳(やく)さずに相手のたずねかたがどんないいかたであっても、わかるかどうかをたずねている場合は、**わかる**といいたければ Yes. **わからない**といいたければ No. といってください。

チェック　/　/　/　/　/

041 sinceってなに？

CD 41　学習の目安 20 分

例文

I am busy now. (私は今いそがしい。)
I was busy yesterday. (私はきのういそがしかった。)
I have been busy since yesterday.
(私はきのうからいそがしい。)
Are you busy now? (あなたは今いそがしいですか？)
Were you busy yesterday?
(あなたはきのういそがしかったですか？)
Have you been busy since yesterday?
(あなたはきのうからいそがしいのですか？)
Tony is busy now. (トニーは今いそがしい。)
Tony was busy yesterday. (トニーはきのういそがしかった。)
Tony has been busy since yesterday.
(トニーはきのうからいそがしい。)
Is Tony busy now? (トニーは今いそがしいですか？)
Was Tony busy yesterday?
(トニーはきのういそがしかったですか？)
Has Tony been busy since yesterday?
(トニーはきのうからいそがしいのですか？)

単語の発音

since〔スィンスッ〕busy〔ビズィ〕now〔ナーゥ〕yesterday〔いェスッタデーィ〕

since＝「～から今まで」という意味。 fromとはちがうよ。

I am busy now.（私は今いそがしい。）

+ I was busy yesterday.（私はきのういそがしかった。）

→ **I am was** busy **now** yesterday.

→ I **have been** busy **since** yesterday.

私は**いそがしかった状態**をもっている。

私はもっている＋ いそがしかった状態

I have　　been busy

since は now（今）が変化したと考えられるので、**～から今まで**という意味を表します。

英語には **from**（から）という前置詞がありますが、この単語には**今までという意味をふくんでいません。**

このことから、次の英文を日本文に訳すと次のようになります。

I have been busy　　**since yesterday.**

私はずっといそがしい　　きのうから今まで

この日本語をもっと簡単な日本語にすると、**私はきのうからいそがしい**。となります。

チェック　／　／　／　／　／

042 I am notは短縮(たんしゅく)できる？

CD 42　学習の目安 15分

例文

I am not busy now. (私(わたし)は今いそがしくない。)

I was not busy yesterday. (私はきのういそがしくなかった。)

I will not be busy tomorrow.

(私はあしたいそがしくないでしょう。)

I have not been busy since yesterday.

(私はきのうからいそがしくない。)

I'm not busy now. (私は今いそがしくない。)

I wasn't busy yesterday. (私はきのういそがしくなかった。)

I won't be busy tomorrow. (私はあしたいそがしくない。)

I haven't been busy since yesterday.

(私はきのうからいそがしくない。)

単語の発音

haven't〔ヘァヴントゥッ〕I'm〔アーィムッ〕wasn't〔ワズントゥッ〕

won't〔ウォーゥントゥッ〕

できます。I am not→I'm not　と短縮できます。また、話し言葉ではI ain'tがつかわれることもありますよ。

〔否定文〕　　　　〔疑問文〕

I am not ～.　→　Am I ～?

I was not ～.　→　Was I ～?

I will not ～.　→　Will I ～?

I have not ～.　→　Have I ～?

not の前にきている単語と主語（～は）の部分を**ひっくり返すと疑問文**になります。

ここをまちがえる

I am not　→　〔○〕I'm not　〔×〕I amn't.

I was not　→　〔○〕I wasn't

I will not be　→　〔○〕I won't be　〔×〕I willn't

I have not been　→　〔○〕I haven't been

〔解説〕

I am not の短縮形は I'm not となり、I amn't ということはできません。ただし、話し言葉では、**I am not の短縮形**として、**I ain't**〔エーイントゥッ〕がつかわれることがあります。
学校英語では教えていません。

チェック　/　/　/　/　/

Q 043 未来のことを話すときは？

例文

I will be busy tomorrow. (私はあしたいそがしいでしょう。)

Will you be busy tomorrow?

(あなたはあしたいそがしいでしょうか？)

Will Tony be busy tomorrow?

(トニーはあしたいそがしいでしょうか？)

I will study tomorrow. (私はあした勉強するつもりです。)

Will you study tomorrow?

(あなたはあした勉強するつもりですか？)

Will I pass the test? (私はそのテストに受かるでしょうか？)

Will Tony pass the test?

(トニーはそのテストに受かるでしょうか？)

単語の発音

will〔ウィオ〕will you〔ウィリュ〕busy〔ビズィ〕tomorrow〔トゥモーゥローゥ〕study〔スタディ〕pass〔ペァスッ〕the test〔ざ テストゥッ〕

Will (1)～するつもりです (2)～でしょう をつかおう！

未来を表現したいときは、次のパターンのどちらかをつかいます。

〔動詞がない場合〕

I will be ～ .（私は～でしょう。）

Will you be ～ ?（あなたは～でしょうか？）

Will Tony be ～ ?（トニーは～でしょうか？）

〔動詞がある場合〕

I will ～ .（私は～するつもりです。）

Will I ～ ?（私は～するでしょうか？）

Will you ～ ?（あなたは～するでしょうか？）

Will Tony ～ ?（トニーは～するでしょうか？）

ここが大切

will には (1) ～するつもりです (2) ～でしょう のように、**意志を表している場合と、表していない場合**があります。

意志を表せるのは、**動詞がある場合のみ**で、**動詞がなければ、単なる未来**のことを表すことしかできません。

ただし、主語によって意味がちがってくることがあります。

Will you ＋ 動詞～？ ならば「あなたは～するつもりですか？」

Will you be ＋ 形容詞？ ならば「あなたは～でしょうか？」

あとは常識で考えて、(1) ～するつもり (2) ～でしょう のどちらの意味でつかっているのかを見きわめてください。

チェック　/　/　/　/　/

Q 044

未来のことは全部willでいいの？

CD 44　学習の目安 10分

例文

I am going to study English.

（私は英語を勉強するつもりです。）

I'm going to study English.

（私は英語を勉強するつもりです。）

Then I will study English.

（それでは私は英語を勉強することにします。）

Then I'll study English.

（じゃ私は英語を勉強しますよ。）

単語の発音

going to〔ゴーゥイン・　トゥ〕then〔ゼンヌ〕study〔スタディ〕

English〔イングリッシッ〕will〔ウィオ〕I'll〔アーィオ〕

will以外にもbe going to+動詞も未来のことを表せる！ つかいわけがあるので注意！

～するつもりですを英語に訳したい時、次のような表現をつかって表すことができます。

(1) **be going to ＋ 動詞**

(2) **will ＋ 動詞**

～するつもりですという意志を表す表現なので、普通の文だとIが主語になります。
疑問文ならば、You が主語になることが多いのです。

〔will と be going to のつかい分け方〕
I am going to study English. は、**もうすでに英語を勉強するということが決まっていて**、(私は英語を勉強するつもりです。) という意味です。

Then I will study English は相手と話をしていて、「それでは英語を勉強します。」といいたい時につかう表現で、**その場で決めたこと**について、**～するつもりだ**ということを表したい時につかいます。

ここが大切

I'll よりも I will の方が強い意志を表しています。

チェック / / / / /

Q 045 mustとhave toはつかいわけ「しなければならない」?

CD 45　学習の目安 15分

例文

I have to study. (私(わたし)は勉強しなければならない。)

I must study. (私は勉強しなければならない。)

Tony has to study. (トニーは勉強しなければならない。)

Tony must study. (トニーは勉強しなければならない。)

You have to study. (あなたは勉強しなければならない。)

You must study. (あなたは勉強しなければならない。)

単語の発音

have to〔ヘァフットゥッ〕has to〔ヘァスットゥッ〕study〔スタディ〕
must〔マスットゥッ〕

must →話し手が～しなければならないと思っている
have to →まわりの事情から～しなければならない

～しなければならないという日本語を英語に訳したい時は次の2種類のいいかたがあります。

（1）**must**

（2）**have to** または **has to**

次の点でつかいかたがちがいます。

must はどんな主語がきてもいつも must ですが、**have to** は**主語によっては has to** になることがあります。

次のように覚えておきましょう。

I am	→	I have
You are	→	You have
主語が1人の場合は、is	→	has
主語が2人以上の場合は、are	→	have

ここが大切

You must の方が You have to よりも命令の意味が強いいいかたなので、話し言葉では have to をつかうことが多いようです。

〈must と have to のちがい〉

must は**話し手が～しなければならないと思っている**場合につかいます。このことから must は8歳くらいまでの小さい子どもに対してつかうことが多いようです。

have to は**まわりの事情から～しなければならない**という意味を表すので、小さい子ども以外に対してよくつかわれます。

チェック　／　／　／　／　／

046 will mustはだめ？

例文

I have to study. (私は勉強しなければならない。)

I must study. (私は勉強しなければならない。)

You have to study. (あなたは勉強しなければならない。)

You must study. (あなたは勉強しなければならない。)

I had to study. (私は勉強しなければならなかった。)

I will have to study.

(私は勉強しなければならないでしょう。)

Tony has to study. (トニーは勉強しなければならない。)

Tony must study. (トニーは勉強しなければならない。)

Tony had to study. (トニーは勉強しなければならなかった。)

Tony will have to study.

(トニーは勉強しなければならないでしょう。)

単語の発音

have to〔ヘァフトゥ〕has to〔ヘァズトゥ／ヘァストゥ〕had to〔ヘァッ・トゥ〕
study〔スタディ〕will〔ウィオ〕

mustとwillはおなじ種類の言葉(助動詞)のため、will mustはできない。
will have toはOK！

must と have to はほとんどおなじ意味を表します。ただし、must には過去形がないので、**過去**のことを表したい時は、must とおなじ意味の have to をつかって **had to** にします。**未来**のことを表したい時も、will must といういいかたをすることはできないので、**will have to** としなければなりません。

I have to study.（私は勉強しなければならない。）

I had to study.（私は勉強しなければならなかった。）

I will have to study.（私は勉強しなければならないでしょう。）

ここが知りたい

なぜ will must といういいかたをすることができないかというと、英語では、おなじ種類の言葉を2つ重ねることができない場合があるからです。

（1）I **must** study.　　（2）I **will** study.

（1）と（2）の英文は動詞の前に must と will がきていることがわかります。つまり must と will はおなじ種類の言葉です。

I **will must** study. のような意味を英語で表したい時は
〔×〕

I **will have to** study. とするのです。

英文法では、**must** と **will** を**助動詞**と呼んでいます。

助動詞の次には動詞がくるのが決まりになっており、have to の have が動詞なので、must とおなじ意味を表す have to をつかうことができるわけです。

チェック　/　/　/　/　/

Q 047 mustはどうやって否定文・疑問文にするの？

 CD 47　学習の目安 20 分

例文

I must work.（私は働かなければならない。）

I have to work.（私は働かなければならない。）

Tony must work.（トニーは働かなければならない。）

Tony has to work.（トニーは働かなければならない。）

Must I work?（私は働かなければならないですか？）

Do I have to work?（私は働かなければならないですか？）

Must Tony work?（トニーは働かなければならないですか？）

Does Tony have to work?

（トニーは働かなければならないですか？）

単語の発音

work〔ワ～クッ〕Tony〔トーゥニィ〕Must I〔マスターィ〕

I〔1〕must〔2〕work.
否定文〔1〕〔2〕not ～.
疑問文(ぎもんぶん)〔2〕〔1〕～？

(1) I　must　work.
私　しなければならない　働(はたら)く

次の公式に当てはめると、否定文と疑問文をつくることができます。

否定文〔1〕〔2〕not ～.　疑問文〔2〕〔1〕～？

I must（私はしなければならない）　I work（私は働く）

この2つのかたまりの**どちらの方(ほう)が意味がよくわかるか**を考えます。I work の方が意味がよくわかると考えて、work の前に not を入れます。そうすると次のようになることがわかります。否定文の〔1〕〔2〕を〔2〕〔1〕にすれば疑問文になります。

〔否定文〕
I must **not** work.
〔1〕〔2〕

〔疑問文〕
Must I work?
〔2〕〔1〕

(2) I　have　to work.
私　もっている　働くこと

I have（私はもっています）　I to work（私は働くこと）

この場合は、I have の方が意味がよくわかると考えて、have の前に not を入れます。

I　not have to work. となります。
〔1〕〔2〕

〔2〕がないので〔2〕のところに do を入れます。

〔1〕〔2〕そろったところで、疑問文をつくります。

Do I have to work?
〔2〕〔1〕

チェック　/　/　/　/　/

Q 048 must notとnot have toのちがいは？

学習の目安 15分

例文

You must speak in English here.

（あなたはここでは英語で話さないとダメですよ。）

You have to speak in English here.

（あなたはここでは英語で話さなければならないですよ。）

You must not speak in English here.

（あなたはここでは英語で話したらダメですよ。）

You don't have to speak in English here.

（あなたはここでは英語で話さなくてもいいですよ。）

単語の発音

speak〔スピークッ〕in English〔イニングリッシッ〕here〔ヒアァ〕

don't have to〔ドーゥン・ヘァフットゥッ〕

You must not ~. ~したらダメ
You don't have to ~. ~しなくてもよい(~する必要はない)

must と have to はほとんどおなじ意味なのですが、**命令の意味の強さがちがう**ので、否定文にしたい時は、次のように覚えるとよいと思います。

これだけは覚えましょう

You must ~ .　　　　　~しないとダメ
You must not ~ .　　　~したらダメ
You have to ~ .　　　　~しなければならない
You don't have to ~ . ~しなくてもよい（~する必要はない）

ここをまちがえる

英語を話す　speak English
英語で話す　speak **in** English

英語では、〈**何を？**〉という疑問がうまれたら、動詞の次に〈何を？〉に対する答えを表す英語の**単語を置くだけ**でよいのです。それに対して、〈**何で？**〉という疑問がうまれたら、in のようにでを表す**前置詞**を先に置いてから、何に対する答えを表す単語を置かなければなりません。

チェック　/　/　/　/　/

Q 049

「～することができる。」のいいかたは？

CD 49　学習の目安 15分

例文

I am able to swim.

（私は泳ぐことができます。）

I can swim.

（私は泳げます。）

Tony is able to swim.

（トニーは泳ぐことができます。）

Tony can swim.

（トニーは泳げます。）

You are able to swim.

（あなたは泳ぐことができます。）

You can swim.

（あなたは泳げます。）

単語の発音

able〔エーィボー〕swim〔スウィムッ〕can〔ケン〕

(1) be able to + 動詞
(2) can + 動詞

～することができるという表現を表したい時に、下の2つの表現をつかって表すことができます。

（1） be able to ＋ 動詞

（2） can ＋ 動詞

この2つの表現は、少し意味がちがいます。

can は　（1） ～する能力が備わっているのでいつでもできる
　　　　（2） ～する方法を知っている

be able to は今～することができる

これらのことから、**今の能力を強調**したい場合は、
be able to をつかいます。
ただし、実際にはほとんどおなじ意味であると考えてよいと思います。

ここが大切

能力を特に強調したい場合は、be able to をつかうと覚えておきましょう。

チェック　／　／　／　／　／

050 ableのつかいかたは？

例文

I am able to swim. (私は泳ぐことができる。)

I was able to swim. (私は泳ぐことができた。)

I will be able to swim. (私は泳ぐことができるでしょう。)

You are able to swim. (あなたは泳ぐことができる。)

You were able to swim. (あなたは泳ぐことができた。)

You will be able to swim.

(あなたは泳ぐことができるでしょう。)

Tony is able to swim. (トニーは泳ぐことができる。)

Tony was able to swim. (トニーは泳ぐことができた。)

Tony will be able to swim.

(トニーは泳ぐことができるでしょう。)

単語の発音

be〔ビー〕able〔エーィボー〕swim〔スウィムッ〕will〔ウィオ〕

Tony〔トーゥニィ〕

able＝～ができる、能力がある、優れている形容詞なので、主語の次には必ずbe動詞をおく。

able は～ができる、能力がある、優れているという意味の形容詞なので、主語の次には必ず be 動詞をおく必要があります。

〔現在を表す場合〕

I am able

You are able

主語が1人の場合	is able
主語が2人以上の場合	are able

〔未来を表す場合〕

I will be able

You will be able

主語が1人の場合	will be able
主語が2人以上の場合	will be able

チェック　／　／　／　／　／

Q 051 「～にちがいない。」はなんていうの？

CD 51　学習の目安 20分

例文

Tony must be able to swim.

(トニー君は泳げるにちがいない。)

Tony will be able to swim.

(トニー君は泳げるでしょう。)

Tony may be able to swim.

(トニー君は泳げるかもしれない。)

Tony might be able to swim.

(トニー君は泳げるかもしれない。)

Tony can't be able to swim.

(トニー君は泳げるはずがない。)

単語の発音

must〔マスットゥッ〕will〔ウィオ〕may〔メーィ〕might〔マーィトゥッ〕
can't〔キャントゥッ〕

must be＝～にちがいない
ほかにも便利(べんり)な推量(すいりょう)の表現(ひょうげん)を覚(おぼ)えていこう！

must be ～にちがいない

will be ～でしょう

may be ～かもしれない

might be もしかしたら～かもしれない

can't be ～のはずがない

解説(かいせつ)します。

～でしょうの意味の will はアメリカではあまりつかわれないので、日本語の**～にちがいない、きっと～でしょう**は **must** をつかうと覚えておくとよいと思います。

may もアメリカではほとんどつかわれず、その代(か)わりに might をつかいます。文法的には may よりも might の方が可能性(かのうせい)の度(ど)合(あ)いが低いと考えられています。

ここをまちがえる

must + 動詞 ～しなければならない

will + 動詞 ～するつもりです

may + 動詞 ～してもよい

解説します。

〔must, will, may, can't〕のうしろに be がきていると推量(すいりょう)や可能性を表す意味になります。

チェック ／ ／ ／ ／ ／

052 I like walk.はだめ？

例文

I like to walk.（私は歩くのが好きです。）

I like walking.（私は歩くのが好きです。）

I am fond of walking.（私は歩くのが（大）好きです。）

Tony likes to walk.（トニーは歩くのが好きです。）

Tony likes walking.（トニーは歩くのが好きです。）

Tony is fond of walking.

（トニーは歩くのが（大）好きです。）

You like to walk.（あなたは歩くのが好きです。）

You like walking.（あなたは歩くのが好きです。）

You are fond of walking.

（あなたは歩くのが（大）好きです。）

単語の発音

like〔ラーィクッ〕walk〔ウォークッ〕walking〔ウォーキン・〕
likes〔ラーィクッスッ〕walks〔ウォークッスッ〕fond〔フォンドゥッ〕

だめ。英語は動詞が2つ続くことをさけたがる！ I like to walk.　I like walking.が自然！

1つの英文の中に、**動詞が2つ続くのを避けるため**に2つめの動詞の前に **to** を入れるか、または動詞に **ing** をつけて、動詞を名詞にかえなければなりません。

I like　　　　　　　　　　**to walk または walking.**
私は好きです　〈何が？〉　　　　　歩くこと

ここで大切なことは〈何が？〉という疑問がうまれているので、〈何が？〉に対して、名詞で答えなければならないのです。
walk（歩く）は動詞なので、**to walk** または **walking** にすることで、**歩くことを表す名詞**にしてあります。

ここをまちがえる

I like　＝　I am fond of　私は～が（大）好きです。

I like **to** walk.
I like walk**ing**.
〔×〕I am fond of **to** walk.
〔○〕I am fond of walk**ing**.

to は of とおなじ種類の言葉なので、**of は to といっしょに並ぶことを嫌います**。このような理由で walking の方だけが正しい英語となります。

チェック　／　／　／　／　／

053 playってなに？

例文

play（遊ぶ）

to play（遊ぶこと）

playing（遊ぶこと）

play the piano（ピアノを弾く）

to play the piano（ピアノを弾くこと）

playing the piano（ピアノを弾くこと）

play tennis（テニスをする）

to play tennis（テニスをすること）

playing tennis（テニスをすること）

単語の発音

play〔プレーィ〕piano〔ピエァノーゥ〕tennis〔テニスッ〕

playing〔プレーィイン・〕

play ⇒ 遊ぶ
play the + 楽器⇒ ～を弾く
play + スポーツの名前⇒ ～をする

ここが大切

(1) play の次にきている the は、**1つしかないという意味**を表しています。ピアノを弾く時、その人が弾くピアノがどれか**はっきりしている**ので、the がついていると覚えましょう。

(2) play の次に**スポーツの名前**がきている時は、**a や the をつける必要はありません**。たとえば、テニスというスポーツの名前を聞くと、どのようなスポーツかが頭に浮かぶと思います。
このような名詞には a や the をつける必要がないのです。

ただし、**テニスラケット**となると話はまったく変わってきます。**テニスラケット**はどこにでもありますし、どんなテニスラケットかがはっきりしていないので、a（ある）や the（その）、this（この）、my（私の）などの単語といっしょにつかいます。
a tennis racket, the tennis racket, this tennis racket, my tennis racket のようにつかわれます。

チェック　/　/　/　/　/

Q 054

「私(わたし)の趣味(しゅみ)はテニスです。」はなんていうの？

CD 54　学習の目安 15分

例文

I like to play tennis.（私はテニスをするのが好きです。）

I like playing tennis.（私はテニスをするのが好きです。）

My hobby is playing tennis.

（私の趣味はテニスをすることです。）

Playing tennis is my hobby.

（テニスをするのが私の趣味です。）

Judy likes to play tennis.

（ジュディーさんはテニスをするのが好きです。）

Judy likes playing tennis.

（ジュディーさんはテニスをするのが好きです。）

Judy's hobby is playing tennis.

（ジュディーさんの趣味はテニスをすることです。）

Playing tennis is Judy's hobby.

（テニスをするのがジュディーさんの趣味です。）

単語の発音

hobby〔ホビィ〕Judy's〔ヂューディズッ〕like〔ラーィクッ〕

likes〔ラーィクスッ〕

My hobby is playing tennis.
でもhobbyが思いつかないときは、likeをつかっても大丈夫（だいじょうぶ）！

「私（わたし）はテニスをするのが好きです。」と、「私の趣味（しゅみ）はテニスです。」はほとんどおなじことをいっているので、英語で話すときは、頭に最初に浮かんだものを、文法的に正しくいえばよいのです。たとえば、**趣味**という単語を思い出せない時は、「私はテニスをするのが好きです。」と英語でいえばよいのです。

私はテニスをするのが好きです。

I like ＋ to play tennis.
好きです　テニスをすること

I like ＋ playing tennis.
好きです　テニスをすること

ここをまちがえる

私の趣味はテニスをすることです。

〔○〕My hobby is playing tennis.

〔△〕My hobby is to play tennis.

テニスをするのが私の趣味です。

〔○〕Playing tennis is my hobby.

〔△〕To play tennis is my hobby.

文法的には、playing tennis と to play tennis が正しいのですが、実際（じっさい）には playing の方しかつかわれていません。

趣味は**以前からしていて、今もしているので、～している**を表（あらわ）す **playing** の方（ほう）が好（この）まれるのです。

チェック　/　/　/　/　/

Q 055 want toって ウォントゥッ・トゥ？

CD 55　学習の目安 10分

例文

I want to go to America.

（私はアメリカへ行きたい。）

My dream is to go to America.

（私の夢はアメリカへ行くことです。）

Judy wants to go to America.

（ジュディーさんはアメリカへ行きたがっている。）

Judy's dream is to go to America.

（ジュディーさんの夢はアメリカへ行くことです。）

単語の発音

want to〔ウォン・トゥ〕wants to〔ウォンツッ　トゥ〕dream〔ジュリームッ〕
go to America〔ゴーゥ　チュ　アメゥリカ〕

want to〔ウォン・トゥ〕と発音するよ。

発音の仕方のコツ

want to の発音に注意してください。

want〔**ウォ**ントゥッ〕～がほしい

want to〔**ウォ**ン・トゥ〕～したい

本来(ほんらい)は want to〔**ウォ**ントゥッ　トゥ〕と発音するのが正しいのですが、おなじ音が重(かさ)なるので、前の方のトゥッの音を飲(の)み込(こ)むように発音して2つめの to をはっきり発音するのです。want to を〔**ウォ**ン・トゥ〕と発音するのです。

ここをまちがえる

go　to　America
行く　へ　アメリカ

アメリカへ行くこと

to go to America

going to America

の2種類(しゅるい)のいいかたがありますが、**未来のこと**を表(あらわ)している場合は、**to** go to America のみをつかうようにしてください。

私はアメリカへ行きたい。

I want **to** go to America.

私の夢(ゆめ)はアメリカへ行くことです。

My dream is **to** go to America.

チェック　/　/　/　/　/

Q 056 enjoy swimming？enjoy to swim？ただしいのはどっち？

CD 56　学習の目安 10分

例文

enjoy swimming（泳ぐのを楽しむ）

stop swimming（泳ぐのを止める）

finish swimming（泳ぐのを終える）

try swimming（試しに泳ぐ）

Let's enjoy swimming.（泳ぐのを楽しみましょう。）

Let's stop swimming.（泳ぐのをやめましょう。）

Let's finish swimming.（泳ぐのを終えましょう。）

Let's try swimming.（試しに泳ぎましょう。）

単語の発音

enjoy〔インヂョーイ〕stop〔ストップッ〕finish〔フィニッシッ〕try〔チュラーィ〕
let's〔レッツッ〕swimming〔スウィミン・〕

enjoy swimming が正解！
動詞によってtoが好きかingが好きかわかれるんだよ！

動詞が2つ重なるのを防ぐために、2つめの動詞の前に to をつけるか、または動詞の ing 形を置くことによって、**動詞＋ 名詞**のパターンをつくることになります。動詞の前に to をつけるか、動詞を ing 形にするかは、前の動詞がどちらのパターンを好むかによります。

ここが大切

（1）enjoy（～を楽しむ）（2）stop（～を止める）
（3）finish（～を終える）（4）try（試しに～してみる）

この4つの動詞は次のような考え方が基本となっています。

（1）**enjoy** swimming　泳ぐ　そして　楽しむ
　　2　1

（2）**stop** swimming　泳ぐ　そして　止める
　　2　1

（3）**finish** swimming　泳ぐ　そして　終える
　　2　1

（4）**try** swimming　泳ぐ　そして　試したことになる
　　2　1

このように**2つめの動詞**が1つめの動詞よりも、**先に起こった動作**であることがはっきりわかる時は、2つめの動詞は **ing 形**になります。

英文のつくり方のポイント

Let's〈何をする？〉enjoy〈何をするのを？〉swimming.
しましょう　楽しむ　泳ぐこと

チェック　/　/　/　/　/

057 stop～ingとstop toのちがいは？

CD 57　学習の目安 10分

例文

I stopped smoking.

（私はたばこをすうのをやめた。）

I didn't stop smoking.

（私はたばこをすうのをやめなかった。）

Did you stop smoking?

（あなたはたばこをすうのをやめましたか？）

I stopped to smoke.

(1) 私はたばこをすうために立ち止まった。

(2) 私は立ち止まってたばこをすった。

単語の発音

didn't〔ディドゥントゥッ〕stopped〔ストップトゥ〕smoking〔スモーゥキン・〕Did you〔ディッヂュ〕stopped to〔ストップ・チュ〕

stop smoking→たばこをすうのをやめる stop to smoke→たばこをすうために立ち止まる/立ち止まってたばこをすう

stop ~ ing と stop to は意味がまったくちがうので、注意が必要(ひつよう)です。

stop smoking
2 1

stop to smoke
1 2

解説(かいせつ)します。1という番号の方が最初の動作で、2という番号の方が2つめの動作(どうさ)です。

たばこをすっている のを **止(や)める**
1 2

立ち止(ど)まる そして **たばこをすう**
1 2

立ち止まる **たばこをすうために**
1 2

たばこをすうのが**最初の動作(どうさ)**である時は、smoke に **ing** をつける。
たばこをすうが、**2つめの動作**である時は、**to** を smoke の前につける。

これだけは覚(おぼ)えましょう

stop には次のような意味があります。

(1) ~するのを止(や)める
(2) 立ち止(ど)まる
(3) 今していることを止(や)める

チェック / / / / /

Q 058 「～したい」はなんていうの？(1)

 CD 58　学習の目安 15分

例文

I want to swim. (私(わたし)は泳(およ)ぎたい。)

I don't want to swim. (私は泳ぎたくない。)

Do you want to swim? (あなたは泳ぎたいですか？)

Judy wants to swim. (ジュディーさんは泳ぎたがっている。)

Judy doesn't want to swim.

(ジュディーさんは泳ぎたがっていない。)

Does Judy want to swim?

(ジュディーさんは泳ぎたがっていますか？)

単語の発音

want to〔ウォン・トゥッ〕swim〔スウィムッ〕wants〔ウォンツッ〕

Judy〔ヂューディ〕Do you〔ドゥユ〕

I want + to + 動詞.(私は～したい。)

I want ＋ 名詞 .（私は～をほしい。）

I want ＋ **to ＋ 動詞** .（私は～したい。）
名詞相当語句

「私は～したい。」という日本語を英語に訳したい時は、I want **to ＋ 動詞** . のパターンをつかって英語に訳すことができます。

ここが知りたい

しつもん！ I want to swim. の代わりに I want swimming. ということはできないのですか？

かいとう 「私は泳ぎたい。」という意味の場合にはできません。なぜできないのかを考えてみたいと思います。

want が**～したい気持ちがある**、swim が泳ぐという意味です。「私は泳ぎたい。」は、私の気持ち（私がしたいと思っていること）が**泳ぐという方向に向かっている**ので、方向を表す **to** をつかっているのです。

swimming にすると、もう泳いでいて、今も泳いでいる状態を表すので、「私は（今から）泳ぎたい。」に合いません。なので swimming をつかうことはできないのです。

ただし、want には**不足している**という意味もあるので、I want swimming. で「私には泳ぐことが**不足している**。」と考えることもできます。つまり、「私には泳ぐことが必要です。」というような意味になります。

チェック ／ ／ ／ ／ ／

059 「～したい」はなんていうの？(2)

CD 59　学習の目安 10分

例文

I want to play tennis with you.

(私はあなたとテニスをしたい。)

I want you to play tennis.

(私はあなたにテニスをしてもらいたい。)

I'd like to play tennis with you.

(私はあなたといっしょにテニスをさせていただきたい。)

I'd like you to play tennis with me.

(私はあなたに私といっしょにテニスをしていただきたい。)

単語の発音

play tennis〔プレーィ テニスッ〕with you〔ウィヂュー〕

with me〔ウィずッ　ミー〕

I want to ～ . 私(わたし)は～したい。
I'd like to ～ . (できれば)私は～させていただきたい。

I want to ～ .　私は～したい。
I want A to ～ . 私は **A さんに**～してもらいたい。
I'd like to ～ .　（できれば）私は～させていただきたい。
I'd like A to ～ .（できれば）私は **A さんに**～していただきたい。

A の部分にもし人を表(あたわ)す代名詞(だいめいし)が入る場合は、次のようになります。

me〔ミー〕　私を／私に
you〔ユー〕　あなたを／あなたに
him〔ヒムッ〕　彼(かれ)を／彼に
her〔ハァ〕　彼女(かのじょ)を／彼女に
them〔ぜムッ〕彼らを／彼らに／彼女たちを／彼女たちに
us〔アスッ〕　私たちを／私たちに

（例）

私は彼に泳(およ)いでもらいたい。
I want him to swim.

私は彼女に泳いでいただきたい。
I'd like her to swim.

チェック　／　／　／　／　／

060 「〜したくない」の表現は？

例文

I like to study. (私は勉強するのが好きです。)

I want to study. (私は勉強したい。)

I want you to study. (私はあなたに勉強してほしい。)

I don't like to study. (私は勉強したくない。)

I don't want to study. (私は勉強したくない。)

I don't want you to study.

(私はあなたに勉強してほしくない。)

単語の発音

want〔ウォントゥ〕like you〔ラーィキュ〕want you〔ウォンチュ〕

study〔スタディ〕don't want〔ドーゥン・ウォントゥッ〕

don't like〔ドーゥン・ラーィクッ〕

I don't like to ~. = I don't want to ~.

どちらも「~したくない」と表すことができます。

(1) I like to ~ と I want to ~ は少し意味がちがいますが、否定文でつかうとまったくおなじ意味になります。

I like to study.（私は勉強するのが好きです。）

I want to study.（私は勉強したい。）

I don't like to study. = I don't want to study.

（私は勉強したくない。）

チェック　/　/　/　/　/

Q
061 「私がやりましょうか」はなんていうの？

CD 61　学習の目安 10分

例文

Do you want me to open the window?

（あなたは私に窓を開けてほしいの？）

Would you like me to open the window?

（あなたは私に窓を開けてほしいのですか？）

Shall I open the window?

（私が窓を開けさせていただきましょうか？）

Should I open the window?

（私が窓を開けた方がいいでしょうか？）

単語の発音

open〔オーゥプン〕window〔ウィンドーゥ〕Shall I〔シァ　ラーィ〕
Should I〔シュダーィ〕

Do you want me to ～？= Shall I ～？
どちらも「～しましょうか？」と提案する表現です。

You want me to open the window.
（あなたは私に窓を開けてほしい。）

Do you want me to open the window?
（あなたは私に窓を開けてほしいのですか？）

もしあなたが私に窓を開けてほしいのなら、

Shall I open the window?
（私が窓を開けさせていただきましょうか？）

このように考えると、次のようになる理由がわかります。

Do you want me to ～？= Shall I ～？

ここが大切

Do you want me to ～？

とおなじ意味のていねいないいかたが、

Would you like me to ～？

コミュニケーションのための英語情報

アメリカでは次のような傾向にあります。

Shall I ～？よりも Do you want me to ～？

または Would you like me to ～？の方がよくつかわれています。

Shall I ～？はかたい感じがする表現なので、仲間内ではつかいません。

その代わりに Should I ～？をつかいます。

イギリスでは Shall I ～？もよくつかわれています。

チェック　／　／　／　／　／

062 お願いに答えるには？(1)

例文

May I open the window? ‥ (1)
(窓を開けてもかまいませんか？)

Yes, certainly. (はい、もちろんいいですよ。)

Yes, of course. (はい、もちろんいいですよ。)

Sure. (いいよ。)

Shall I open the window? ‥ (2)
(私が窓を開けましょうか？)

Yes, please do. (はい、そうしてください。)

Yes, please. (はい、お願いします。)

May I help you? (いらっしゃいませ。)

Yes, please. (はい、お願いします。)

Shall I help you? (お手伝いいたしましょうか？)

Yes, please. (お願いします。)

単語の発音

open〔オーゥプン〕window〔ウィンドーゥ〕certainly〔サ～・ンリィ〕
sure〔シュア〕of course〔オヴッ　コースッ〕please〔プリーズッ〕
help you〔ヘオピュー〕

certainly・of course・sureなど便利な表現がたくさん！

ここが大切

(1) certainly と of course はていねいないいかたで、sure はくだけたいいかたです。

(2) Shall I open the window? に対する答えの Yes, please に続く open the window. の代わりに do をつかって表しています。do を省略して、Yes, please. といってもおなじ意味を表すことができます。

ここをまちがえる

May I help you? は店などの店員さんがつかう決まり文句で、日本語の「いらっしゃいませ。」に当たる英語です。
Shall I help you? は（私がお手伝いをしましょうか？）という意味で、だれに対してもつかえるいいかたです。

ここが大切

Of course. この英語の発音は次の2種類のいいかたがあります。

(1)〔アヴッ**コー**スッ　または　オヴッ**コー**スッ〕
(2)〔アフッ**コー**スッ　または　オフッ**コー**スッ〕

よくオフッ**コー**スッまたはアフッ**コー**スッのようにいうのが正しいようにいう人がいますが、オヴッ**コー**スまたはアヴッ**コー**スと発音する人もいます。

チェック　/　/　/　/　/

063 お願いに答えるには？(2)

例文

Would you like some more tea?
（もう少しお茶をいかがですか？）
Yes, please.（はい、いただきます。）
Yes, thank you.（はい、お願いします。）
No, thank you.（いいえ、結構（けっこう）です。）
Thank you but no.（ありがとうございます。でも結構です。）

Can you help me?（手伝ってくれますか？）
With pleasure.（よろこんで。）
Will you help me?（手伝ってくれる？）
Yes, sure.（はい、いいよ。）

Could you help me?（手伝っていただけますか？）
All right.（いいですよ。）

単語の発音

thank you〔セァンキュー〕help〔ヘオプッ〕sure〔シュア〕could you〔クッヂュ〕can you〔キャニュ〕will you〔ウィリュ〕with pleasure〔ウィずッ　プレジァ〕but no〔バッ・ノーゥ〕

Yes, please. Thank you but no.をまず覚(おぼ)えよう！

ここが大切

Would you like **some tea**?
（お茶をいかがですか？）

Would you like **some more tea**?
（もう少しお茶をいかがですか？）

解説(かいせつ)します。

tea　　　　　　（お茶）
some tea　　　　（お茶を少し、少しのお茶）
some more tea（お茶をもう少し）

のようなつかいかたをします。
学校で習(なら)う英文法では、some を普通(ふつう)の文でつかい、否定文や疑(ぎ)問文(もんぶん)では any をつかうと習うことがありますが、相手(あいて)に飲み物をすすめるような時は必(かなら)ず some をつかってください。

ここをまちがえる

No, thank you.（いいえ、結構(けっこう)です。）
の No を弱く、thank you のところを強く発音してください。
Thank you　but　no.
ありがとう　でも　結構です。
の方がていねいに断ることができる表現(ひょうげん)です。

チェック　／　／　／　／　／

Q 064

いっしょになにかをしたいときは？

CD 64　学習の目安 10 分

例文

Shall we run?（走りましょうか。）

Why don't you run?（走りませんか？）

Why don't we run?（走りませんか？）

Let's run.（走りましょう。）

Let's run, shall we?（走りませんか？）

Shall we run?（走りましょうか？）

Yes, let's.（はい、そうしましょう。）

No, let's not.（いいえ、やめましょう。）

単語の発音

shall〔シャオ〕run〔ゥランヌ〕let's〔レッツッ〕

(1) Shall we run?（走りましょうか？）
(2) Why don't〔you / we〕run?（走りませんか？）
(3) Let's run.（走りましょう。）

A

ここが大切

（1）Shall we run?（走りましょうか？）

（2）Why don't〔you / we〕run?（走りませんか？）

（3）Let's run.（走りましょう。）

2人以上の人がいる場合、提案をしたい時に上の3パターンをつかうことができます。

（1）（2）（3）の順番に**強制力が強く**なります。

つまり、Let's run. はあまりつかわない方がよいということになります。

コミュニケーションのための英語情報

Let's run, shall we?（走りませんか？）

といういいかたを中学や高校で習ったことがある人が多いと思いますが、特にアメリカでは実際には Let's run, shall we? という表現はほとんどつかわれていません。

この表現は日本人がつかいすぎるので、注意が必要です。

〔ここが知りたい〕

しつもん!

Let's は何の省略形なのでしょうか？

Let us の省略形です。

チェック　/　/　/　/　/

Q 065 人にたのみたいことがあるときは？

 CD 65　学習の目安 15分

例文

I will ask Tony to go shopping.

（私はトニーに買い物に行ってくれるようにたのむつもりです。）

I will tell Tony to go shopping.

（私はトニーに買い物に行くようにいうつもりです。）

I asked him to go shopping.

（私は彼に買い物に行くようにたのんだ。）

I told him to go shopping.

（私は彼に買い物に行くようにいった。）

単語の発音

ask〔エァスックッ〕asked〔エァスックットゥッ〕tell〔テオ〕told〔トーゥオドゥッ〕

will〔ウィオ〕Tony〔トーゥニィ〕go shopping〔ゴーゥ　ショッピン・〕

ask A to ～ A に～してくれるようにたのむ
tell A to ～ A に～するようにいう

他(ほか)にもこの単語を覚(おぼ)えましょう。

asked A to ～　A に～してくれるようにたのんだ

told A to ～　A に～するようにいった

go shopping　買い物に行く

英語らしい発音のコツ

h の音は弱い音で、発音されないことが多いので、次のように発音されることが多いようです。

ask him〔**エァ**スッキムッ〕

tell him〔**テ**リムッ〕

asked him〔**エァ**スックッティムッ〕

told him〔**トー**ゥオディムッ〕

解説(かいせつ)します。

ask him → ask ＋ him → askim〔**エァ**スッキムッ〕

tell him → tell ＋ him → **tellim**〔**テ**リムッ〕

asked him → asked ＋ him → ask**edim**〔tim〕〔**エァ**スックッティムッ〕

told him → told ＋ him → tol**dim**〔**トー**ゥオディムッ〕

チェック　／　／　／　／　／

Q 066 「～しない」ようにたのむときは？

 CD 66　学習の目安 20 分

例文

I will tell Tony to play with Judy.

(私はトニーにジュディーさんといっしょに遊ぶように
いうつもりです。)

I will ask Tony to go shopping.

(私は買い物に行ってくれるようにトニーにたのむつもりです。)

I will tell Tony not to play with Judy.

(私はジュディーさんといっしょに遊ばないように
トニーにいうつもりです。)

I will ask Tony not to play with Judy.

(私はジュディーさんといっしょに遊ばないように
トニーにたのむつもりです。)

単語の発音

tell〔テオ〕play〔プレーィ〕with〔ウィずッ〕Judy〔ヂューディ〕

ask A not to ～ A に～しないようにたのむ
tell A not to ～ A に～しないようにいう

(1) 英語では not を入れて、否定文をつくることができます。否定文は、文章全体の意味を否定したい時につかう文のことです。

I want to study.（私は勉強したい。）

I don't want to study.（私は勉強したくない。）

(2) 英文では文章全体を否定するのではなく、**文章の一部だけを否定する**時にも not をつかいます。

I will tell Tony to study with Judy.
（私はトニーに**ジュディーさんといっしょに勉強するように**いうつもりです。）

I will tell Tony **not** to study with Judy.
（私はトニーに**ジュディーさんといっしょに勉強しないように**いうつもりです。）

ここでは、to study with Judy（ジュディーさんといっしょに勉強すること）を not をつかって否定しているのです。
もし、文章そのものを否定したければ、次のようにいえばよいのです。このいいかたが否定文です。

I **won't** tell Tony to study with Judy.
（私はジュディーさんといっしょに勉強するようにトニーにいう**つもりはありません。**）

チェック　/　/　/　/　/

067 人に命令するときは？(1)

例文

You must study.（あなたは勉強しないとダメですよ。）

You have to study.

（あなたは勉強をしなければならないですよ。）

Study.（勉強しなさい。）

Do study.（ぜひ勉強しなさい。）

You must not give up.（あなたはあきらめてはダメですよ。）

Never give up.（決してあきらめてはいけませんよ。）

Don't give up.（あきらめるなよ。）

単語の発音

study〔スタディ〕never〔ネヴァ〕Do study〔ドゥー　スタディ〕

相手に命令するので主語をはぶいて大丈夫！
Study.（勉強しなさい）
Don't give up.（あきらめるなよ。）

ここでは命令文について考えてみたいと思います。
ここで紹介している英文は、普通の命令文と否定命令文です。

〔普通の命令文〕
もともと命令する時は相手に命令するのに決まっています。
You を省略しているので、動詞から始まっています。
You must ～. や You have to ～. をつかっても、命令文とおなじ意味を表すことができます。
You must ～. の方が、You have to ～. よりも強い命令になります。
Study. の前に do をつけて **Do study.** のようにすれば「**ぜひ**勉強しなさい。」のように**勉強するを強めた**いいかたになります。

〔否定命令文〕
動詞の前に Never または Don't を置くことで否定命令文をつくることができます。

Never give up.	**決して**あきらめ**てはいけませんよ**。
Don't give up.	あきらめ**るなよ**。
Don't ～.	今のことについて、～するな。
Never ～.	現在だけでなく、これから先も～するな。

という意味を表します。

チェック　／　／　／　／　／

068 人に命令するときは？(2)

例文

You are quiet.（あなたは静かです。）

You must be quiet.（あなたは静かにしなければならない。）

Be quiet.（静かにしなさい。）

You are late.（あなたはおそいじゃないか。）

You must not be late.（あなたはおくれてはいけないよ。）

You mustn't be late.（あなたはおくれてはいけないよ。）

Don't be late.（おくれるなよ。）

You are idle.（あなたはなまけているじゃないか。）

You must not be idle.（あなたはなまけてはいけないよ。）

You mustn't be idle.（あなたはなまけてはいけないよ。）

Don't be idle.（なまけるな。）

単語の発音

quiet〔クワーィエットゥッ〕 must be〔マス・ビー〕 late〔レーィトゥッ〕

Don't be〔ドーゥン・ビー〕 mustn't〔マスッントゥッ〕 idle〔アーィドー〕

be動詞のときの命令文はYou must be～が基準。
Be quiet.（静かにしなさい。）
Don't be late.（おくれるなよ。）

〔be から始まる命令文〕

You are quiet.（あなたは静かです。）

このような状態を表す英文で、一般動詞がない場合は、must を入れることで、You must be quiet. とすると命令文になります。このとき、**静かです**という意味から**静かにする**という動詞のような意味になります。
You must を省略してもほとんどおなじ意味を表すことができます。

You must be quiet.（あなたは静かにしなさい。）
Be quiet.（静かにしなさい。）

〔Don't be から始まる命令文〕

You are late.（あなたはおそいじゃないか。）

このように状態を表している英文で、一般動詞がない場合、must not を入れると You must not be late. という英文になります。
You must not を Don't に置きかえてもほとんどおなじ意味を表すことができます。
おそいという状態を表す意味から、**おくれる**という動詞のような意味になります。

You must not be late.（おくれてはいけないよ。）
Don't be late.（おくれるな。）

チェック　/　/　/　/　/

Q 069 命令されたときの答えかたは？

CD 69　学習の目安 15分

例文

Come to my party.（私のパーティーに来てよ。）

All right.（いいですよ。）

Okay.（いいよ。）

Bring me some coffee.（私にコーヒーを持ってきてよ。）

I will.（いいですよ。）

Help me with my homework.（私の宿題を手伝ってよ。）

I will.（いいですよ。）

I won't.（いやですよ。）

単語の発音

come〔カムッ〕party〔パーティ〕all right〔オーオ　ゥラーィ・〕okay〔オーゥケーィ〕bring〔ブゥリン・〕some coffee〔サム　コーフィ〕will〔ウィオ〕won't〔ウォーゥン・〕

これを覚(おぼ)えれば大丈夫！
All right. Okay. I will. I won't.

命令文(めいれいぶん)に対(たい)して答える場合は次のようないいかたがあります。

Come to my party.（私のパーティに来てよ。）

All right.（よろしいですよ。わかりましたよ。）

Okay.（いいよ。わかったよ。）

I will.（1）来るよ。（2）行くよ。

I won't.（1）来ないよ。（2）行かないよ。

〔解説(かいせつ)します〕

All right. が**ていねい**ないいかたで、Okay. は**くだけた**いいかたです。

I will come to your party.

（1）（私はあなたのパーティーに行くつもりです。）

（2）（私はあなたのパーティーに来るつもりです。）

I won't come to your party.

（1）（私はあなたのパーティーに行くつもりはありません。）

（2）（私はあなたのパーティーに来るつもりはありません。）

完全な英文でいう必要(ひつよう)のないところを省略(しょうりゃく)したいいかたが、I will. と I won't. です。I will と I won't はくだけたいいかたです。

チェック　／　／　／　／　／

070 命令文（めいれいぶん）はきつい命令？

CD 70　学習の目安 15分

例文

Open the window! (窓（まど）を開（あ）けろ！)

Open the window. (窓を開けて。)

Please open the window. (窓を開けてください。)

Open the window, please. (窓を開けてください。)

Don't open the window. (窓を開けないで。)

Please don't open the window.

(窓を開けないでください。)

Don't open the window, please.

(窓を開けないでください。)

単語の発音

open the window〔オーゥプン　ざ　ウィンドーゥ〕please〔プリーズッ〕

英語の命令文(めいれいぶん)は、必(かなら)ずしも~しなさいというきつい命令だけを表(あらわ)すわけではないよ。

ここをまちがえる

おなじ命令文であっても、いいかたによって意味がちがってきます。

Open the window!（窓(まど)を開(あ)けろ！）

いかにも命令しているようないいかたでこの英文をいえば、**~しなさい**という命令文になります。

Open the window.（窓を開けて。）

文の最後を軽く上げながら、やさしくこの英文をいうと、**~してよ**のようないいかたになります。

ここが大切

please を文頭、または文末に入れると**~してください**という意味を表す英語になります。**please** をつけるとていねいになるということではありません。

~してくださいといってたのんでいるだけなので、**ていねいないいかた**をしたい場合には、また他(ほか)の英語でいわなければならないのです。

（例）

Would you open the window?
（窓を開けていただけますか？）

チェック / / / / /

Q 071 ていねいにいう方法は？

例文

Will you open the window?

(窓(まど)を開(あ)けてもらえる？)

Can you open the window?

(窓を開けてもらえますか？)

Would you open the window?

(窓を開けていただけますか？)

Could you open the window?

(窓を開けていただけますか？)

単語の発音

Will you〔ウィリュ〕Would you〔ウッヂュ〕Could you〔クッヂュ〕

Would you ~ ?
Could you ~ ?

英語は日本語と、とてもよく似ているところがあります。

(1) 窓(まど)を開(あ)けてもらえますか？
(2) 窓を開けていただけますか？

この2つの日本文を比(くら)べると、次のようなことがわかります。

日本語では**た**をつかう時は、**過去**のことか、または**ていねいにいいたい時**につかっているようです。

(1) 窓を開けて**もらえますか**？
(2) 窓を開けてい**た**だけますか？

(2) の方には**た**があるので、(1) の日本語よりも (2) の方がていねいな感じがするわけです。

英語でも日本語とまったくおなじなのです。

〔現在形の will と can をつかっています〕

Will you open the window?
(窓を開けてもらえる？)

Can you open the window?
(窓を開けてもらえますか？)

〔will と can の過去形をつかっています〕

Would you open the window?
(窓を開けてい**た**だけますか？)

Could you open the window?
(窓を開けてい**た**だけますか？)

チェック　/　/　/　/　/

Q 072 Can you～？とWill you～？のちがいは？

CD 72　学習の目安 20 分

例文

Can you open the window?

（窓を開けてもらえますか？）

Will you open the window?（↗）

（窓を開けてもらえる？）

Will you open the window?（↘）

（窓を開けなさい。）

Open the window.

（窓を開けて。）

Open the window!

（窓を開けなさい。）

単語の発音

open the window〔オーゥプン　ざ　ウィンドーゥ〕

Will you～？は、～する意志はありますか
Can you ～？はできなければしかたないのですが

ここをまちがえる

Will you open the window? の方が Can you open the window? よりもていねいないいかたであると習われた方もいらっしゃると思いますが、まちがっています。**Will you ～？**は直訳すると、**～する意志はありますか**という意味なので、**直接的な表現**であると考えることができます。このことから Will you ～？は上下関係がある場合によくつかわれます。上司が部下にものをたのむ時にぴったりの表現です。
Can you ～？は**～することができますか？**とたずねているだけなので、～する意志はありますか？と直接たずねているわけではありません。

これらのことから、**Can you open the window?** は**窓を開けることができますか？できなければしかたがないのですが、窓を開けてもらえますか？**のような意味を表します。**Will you open the window?** は**窓を開ける意志がありますか**？もしあるなら、窓を開けてもらえますか？のような意味を表します。

コミュニケーションのための英語情報

Will you open the window? の読み方で意味がちがってきます。普通は最後を軽く上げて発音しますが、Will を強く発音して最後を下げると**命令文**とほとんどおなじ意味になってしまいます。

チェック　/　/　/　/　/

Q 073 isとThere isって おなじいみ？

CD 73　学習の目安 20分

例文

A cat is in the park. （1匹のネコがその公園にいます。）

There is a cat in the park. （1匹のネコがその公園にいます。）

Two cats are in the park. （2匹のネコがその公園にいます。）

There are two cats in the park.

（2匹のネコがその公園にいます。）

A cat was in my room yesterday.

（1匹のネコが昨日私の部屋にいました。）

There was a cat in my room yesterday.

（1匹のネコが昨日私の部屋にいました。）

Two cats were in my room yesterday.

（2匹のネコが昨日私の部屋にいました。）

There were two cats in my room yesterday.

（2匹のネコが昨日私の部屋にいました。）

単語の発音

cat〔キャットゥッ〕cats〔キャッツッ〕park〔パークッ〕room〔ゥルームッ〕yesterday〔いェスタデーィ〕

is とThere is は「います」というおなじ意味を表すよ。

英語には「あります、います」を表すのに2つの表現パターンがあります。

（1） **A cat** **is** **in the park.**
1匹のネコ **います** その公園に

（2） **There is** **a cat** **in the park.**
います 1匹のネコ その公園に

is と There is がおなじ意味を表します。つまり、There is の There には意味がありません。

There is〈何が？〉a cat〈どこに？〉in the park.
います 1匹のネコ その公園に

おなじように考えると、次のように are と There are がおなじ意味を表すことができることがわかります。

（1） **Two cats** **are** **in the park.**
2匹のネコ **います** その公園に

（2） **There are** **two cats** **in the park.**
います 2匹のネコ その公園に

過去のことについていいたい時は次のようにしてください。

（1） **A cat** **was** **in my room.**
1匹のネコ **いました** 私の部屋に

（2） **There was** **a cat** **in my room.**
いました 1匹のネコ 私の部屋に

おなじように考えると、Two cats were のときは、**There were two cats** にすればよいことがわかります。

チェック / / / / /

Q 074 Two windows are in my room.はだめ？

CD 74　学習の目安 20 分

例文

My room has two windows.

(私の部屋には窓[まど]が2つあります。)

There are two windows in my room.

(私の部屋には窓が2つあります。)

Your room has two windows.

(あなたの部屋には窓が2つあります。)

There are two windows in your room.

(あなたの部屋には窓が2つあります。)

Does your room have two windows?

(あなたの部屋には窓が2つありますか？)

Are there two windows in your room?

(あなたの部屋には窓が2つありますか？)

単語の発音

room〔ゥルームッ〕windows〔ウィンドーゥズッ〕my〔マーィ〕your〔ヨアァ〕
two〔チュー〕

だめです。下のようにいいましょう。

•There are two windows in my room.

•My room has two windows.

ここが知りたい

Two windows are in my room.
という英語はないのですか？

この英語は不自然な英語なのでつかわれていません。主語（～は）の部分にくる英語が人、または動物の場合は、自然な英語なのですが、物が主語になると不自然だと感じる人が多いようです。

ここが大切

There are two windows in my room.

次のようにすると、おなじ意味を表すことができます。

My room has two windows.

次のように考えてください。

（1）大きい物　has　小さい物

（2）先にできた物　has　後からできた物

この（1）と（2）のどちらかに必ず当てはまっているはずです。

次のように覚えておきましょう。

A has B.
（**A** には **B** があります。）

There is B in A.
（**A** には **B** があります。）

チェック　/　/　/　/　/

Q 075 いくつあるかをきくときは？

CD 75　学習の目安 20分

例文

Your room has two windows.

(あなたの部屋には窓が2つあります。)

There are two windows in your room.

(あなたの部屋には窓が2つあります。)

Does your room have two windows?

(あなたの部屋には窓が2つありますか？)

Are there two windows in your room?

(あなたの部屋には窓が2つありますか？)

How many windows does your room have?

(あなたの部屋には窓がいくつありますか？)

How many windows are there in your room?

(あなたの部屋には窓がいくつありますか？)

単語の発音

how many windows〔ハーゥメニィ　ウィンドーゥズッ〕has〔ヘァズ〕
have〔ヘァヴッ〕

How many ～をつかおう。

（1） My room has **two windows**.

下線のところが答えになるような疑問文をつくる練習をしましょう。

two windows ←→ **How many windows**

2つの窓　　　　窓がいくつ

My room has **two windows**.

Your room has **two windows**.

Does your room have **two windows**?

（答え） **How many windows does your room have?**

（2） There are **two windows** in my room.

Are there **two windows** in your room?

How many windows are there in your room?

ここが大切

日本文を英文に訳したい時に、**はい、いいえ**で**答えることができない**日本文の場合、**一番尋ねたい言葉＋ 疑問文？** にしてください。

（例）

あなたの部屋には**窓がいくつ**ありますか？

How many windows ＋ does your room have?

チェック　/　/　/　/　/

Q 076 A has Bはどんなときもつかえる？

CD 76　学習の目安 20分

例文

My room has two windows.
（私の部屋には窓が2つあります。）

There are two windows in my room.
（私の部屋には窓が2つあります。）

Our town has two high schools.
（私たちの町には高校が2つあります。）

There are two high schools in our town.
（私たちの町には高校が2つあります。）

Japan has four seasons.（日本には四季があります。）

There are four seasons in Japan.
（日本には四季がありますよ。）

単語の発音

our〔アーゥァ〕town〔ターゥンヌ〕high schools〔ハーィ　スクーオズッ〕
in our〔イナーゥァ〕four〔フォー〕seasons〔スィーズンズ〕
Japan〔ヂァペァンヌ〕

その時だけAにBがある。を表す時はA has B.の構文はつかうことができません

A has B.〔AにはBがあります。〕

のパターンはいつでもつかえるわけではありません。

My room has **two windows**.
A B

を例に考えてみることにします。

My room（私の部屋）ができた時にtwo windows（2つの窓）もいっしょにつくられて、今もあるということがわかります。

Our town has **two high schools**.
A B

Our town（私たちの町）があって、次にtwo high schools（高校が2つ）建てられて今もあるということがわかります。

Japan has **four seasons**.
A B

Japan（日本）には初めからfour seasons（四季）があって今もあるということがわかります。

以上の例文からわかることは、**AにBがずっとある**ということです。このことから、**その時だけAにBがある。**を表す時はA has B.の構文はつかうことができませんが、**There is B in A.**をつかって**AにはBがあります。**を表すことができます。次の例文は**～の上に**なので、**on**をつかってあります。

〔×〕The table has a cat.

〔○〕There is a cat on the table.

（そのテーブルの上には1匹のネコがいます。）

チェック / / / / /

077 There is my bag.はだめ？

CD 77　学習の目安 20分

例文

My bag is on the table.

（私のカバンはそのテーブルの上にあります。）

The bag is on my bed.

（そのカバンは私のベッドの上にありますよ。）

Mt. Fuji is in Shizuoka.

（富士山は静岡にあります。）

My mother is in the kitchen.

（私の母は台所(だいどころ)にいます。）

単語の発音

bag〔ベァッグッ〕table〔テーィボー〕bed〔ベッドゥッ〕mother〔マざァ〕
kitchen〔キチンヌ〕

my bagのように何をさしているのかはっきりわかるものはThere is～はつかえないよ！

（1）There is ～ .

（2）There are ～ .

この2つの構文(こうぶん)パターンでは、どれをさしているのかがはっきりわかっていて、**物(もの)または人、動物が主語**になっている場合は、**つかうことはできません。**

〔×〕There is my bag on the table.
私のカバン

〔〇〕My bag is on the table.
私のカバン

〔×〕There is Mt. Fuji in Shizuoka.

〔〇〕Mt. Fuji is in Shizuoka.

〔×〕There is my mother in the kitchen.

〔〇〕My mother is in the kitchen.

ここが知りたい

しつもん！ どれをさしているのかが**はっきりわかっている物または人、動物**についてもう少しくわしく教えてください。

かいとう my bag（私のカバン）はどれをさしているかがはっきりわかっていますが、a bag（1つのカバン）や two bags（2つのカバン）は**だれのものか、どのカバンなのか**がはっきりしていないのです。カバンは家の中に他(ほか)にもたくさんある可能(かのう)性(せい)があるからです。

チェック　/　/　/　/　/

Q 078 whatとwhoのつかいかたは？

CD 78　学習の目安 20分

例文

What is on the table?

（テーブルの上には何がありますか？）

What was in the letter?

（その手紙には何が書いてありましたか？）

What's in this box?

（この箱には何が入っているのですか？）

Who is in the living room?

（だれが居間にいますか？）

Who is in the kitchen?

（だれが台所にいますか？）

単語の発音

what is〔ワッティズッ〕what's〔ワッツッ〕who〔フー〕table〔テーィボー〕letter〔レタァ〕box〔ボックッスッ〕living room〔リヴィン・ゥルームッ〕kitchen〔キチンヌ〕

What(Who)〔is またはwas〕+ 前置詞(ぜんちし)+名詞相当語句(めいしそうとうごく)?
何が～にありますか?(だれが～にいますか?)

(1) 何が～にありますか?

(2) だれが～にいますか?

このような日本語を英語に訳(やく)したい時は次のようにしてください。

(1) What〔is または was〕+ 前置詞+名詞相当語句?

(2) Who〔is または was〕+前置詞+名詞相当語句?

What is on the table?
前置詞 名詞相当語句

What was in the letter?
前置詞 名詞相当語句

Who is in the living room?
前置詞 名詞相当語句

ここが大切

時と場合によって適当(てきとう)に訳(やく)してください。

What was in the letter?

〔直訳〕何がその手紙の中にありましたか?

〔自然な訳〕何がその手紙に書いてありましたか?

What is in this box?

〔直訳〕何がこの箱の中にありますか?

〔自然な訳〕何がこの箱の中に入っていますか?

チェック / / / / /

Q 079 「なんじですか」とききくときは？

CD 79　学習の目安 15分

例文

What time is it?（なんじですか？）

It's seven o'clock.（7時です。）

It's seven ten.（7時10分です。）

What's your name, please?
（お名前は何とおっしゃいます？）

My name is Tony Green.
（私の名前はトニー・グリーンです。）

Where do you come from?（どちらのご出身ですか？）
I come from Tokyo, Japan.（日本の東京です。）

Where are you from?（どちらのご出身ですか？）
I'm from Tokyo, Japan.（日本の東京です。）

単語の発音

what time〔ワッ・ターィムッ〕It's〔イッツッ〕seven o'clock〔セヴナクロックスッ〕ten〔テン〕What's your name, please?〔ワッチョァ　ネーィムッ　プリーズッ〕where〔ウェァ〕come from〔カムッ　フゥラムッ〕I'm〔アーィムッ〕Japan〔ヂァペァンヌ〕

What time is it？（なんじですか？）

（A）It is **seven o'clock**.（7時）

What time（なんじ）

What time ＋ is it?

（B）My name is **Tony Green**.（トーゥニィ・グゥリーンヌ）

What（何）

What ＋ is your name?

（C）I come from **Tokyo**（東京）

Where（どこ）

Where ＋ do you come from?

（D）I'm from **Tokyo**.（東京）

Where（どこ）

Where ＋ are you from?

解説(かいせつ)します。
疑問詞(ぎもんし)（一番たずねたいこと）＋ 疑問文(ぎもんぶん)？
のパターンに当(あ)てはめると下線を問う文をつくることができます。

ここが大切

ちょうどの時間を表(あらわ)す時は、**数字＋ o'clock** で表します。

チェック　／　／　／　／　／

Q 080 Tony likes Judy.とTONY likes Judy.のちがいは？

CD 80　学習の目安 15分

例文

Tony likes Judy.（トニー君はジュディーさんが好きです。）

TONY likes Judy.（トニー君がジュディーさんを好きです。）

Who likes Judy?（だれがジュディーさんを好きなのですか？）

My mother is in the kitchen.（私(わたし)の母は台所(だいどころ)にいます。）

Who is in the kitchen?（だれが台所にいますか？）

Tony lives in that house.

（トニー君はあの家に住んでいます。）

Who lives in that house?

（だれがあの家に住んでいますか？）

単語の発音

Tony〔トーゥニィ〕Judy〔ヂューディ〕likes〔ラーィクッスッ〕mother〔マざァ〕kitchen〔キチンヌ〕lives〔リヴッズッ〕that house〔ぜアッ・ハーゥスッ〕

TONY を強く読むと、他(ほか)の人ではなくトニー君がという意味を表(あらわ)すことができるのです。

Tony　likes　Judy.
トニー君は　好きです　ジュディーさんが

普通(ふつう)は、英語では一番最後の情報(じょうほう)が大切な情報なので強く読みます。
ところがこの英文の Tony を強く読むと、

TONY　likes　Judy.
トニー君**が**　好きです　ジュディーさんを

のように意味が変(か)わります。
つまり、**TONY** を強く読むと、**他(ほか)の人ではなくトニー君が**という意味を表すことができるのです。

これを利用すると次のような英語をつくることができます。

TONY likes Judy.
↓　（トニー君はジュディーさんを好きです。）

Who likes Judy?
（だれがジュディーさんを好きなのですか？）

ここが大切

英語では一般的(いっぱんてき)に、Who や What の次にくる一般動詞(いっぱんどうし)や be 動詞(びーどうし)は **s** のついた形をつかいます。
仮(かり)に、答えに2人以上の人がくることがわかっていても s のついた形をつかうのが普通です。
ただし、s のつかわない形をつかってもまちがいではありません。

チェック　/　/　/　/　/

Q 081 Who like Judy? でもいいの？

CD 81　学習の目安 15分

例文

Tony likes Judy.

（トニー君はジュディーさんが好きです。）

TONY likes Judy.

（トニー君がジュディーさんを好きです。）

Who likes Judy?

（だれがジュディーさんを好きですか？）

Tony and Tom like Judy.

（トニー君とトム君はジュディーさんが好きです。）

TONY and TOM like Judy.

（トニー君とトム君がジュディーさんを好きです。）

Who likes Judy?

（だれがジュディーさんを好きですか？）

単語の発音

Tom〔トムッ〕

学校ではまちがいと教えるけど、実はWho like Judy? もOK！

英語では、中学や高校で習う英文法があります。
この英文法を仮に学校英文法と呼ぶことにします。
学校英文法では、英語の基本となる考え方をまず教えなければいけないので、例外が仮にあっても教えません。
ただし、実際の会話では、学校英文法でまちがいだと教えられているものでも、「こういう場合は、つかえますよ、その理由はこういうわけです。」のようにいろいろな理由があってつかえるものもたくさんあります。

学校英語と実際の会話英文法のちがい

〔学校英文法〕
Who や What が主語になる場合、次にくる動詞は s のついた形をつかわなければなりません。
〔実際の会話英文法〕
(1) Who **likes** Judy?
（だれがジュディーさんを好きですか？）

(2) Who **like** Judy?
（だれがジュディーさんを好きですか？）

実際には (1) と (2) の英語が考えられます。
(2) の英語は、ジュディーさんを好きな人が何人もいることがわかっていてこの質問をしていると考えられます。
(1) の英語は、好きな人が何人いても、ひとまとめにして考えているので、likes になっていると覚えておくとよいでしょう。

チェック　／　／　／　／　／

Q 082 「～する人」はなんていうの？(1)

例文

You walk fast. (あなたは速く歩く。)

You are a fast walker.

(あなたは速く歩く人です。)(あなたは足が速いです。)

You walk slowly. (あなたはゆっくり歩く。)

You are a slow walker.

(あなたはゆっくり歩く人です。)(あなたは足が遅いです。)

You swim well. (あなたはじょうずに泳ぐ。)

You are a good swimmer.

(あなたはじょうずに泳ぐ人です。[泳ぎます。])

You play the piano well.

(あなたはじょうずにピアノを弾く。)

You are a good pianist.

(あなたはじょうずにピアノを弾く人です。[弾きます。])

単語の発音

walk〔ウォークッ〕swim〔スウィムッ〕walker〔ウォーカァ〕swimmer〔スウィマァ〕slow〔スローゥ〕slowly〔スローゥリィ〕play the piano〔プレーィ　ざ　ピエァノーゥ〕well〔ウェオ〕good pianist〔グッ・ピエァニスットゥッ〕

動詞にerをつけると「～する人」という意味になる。

これだけは覚(おぼ)えましょう

walk	fast	=	are	a fast	walker
歩く〈どのように〉	速く		です	速い	歩き手
walk	slowly	=	are	a slow	walker
歩く〈どのように〉	ゆっくり		です	ゆっくりな	歩き手
swim	well	=	are	a good	swimmer
泳(およ)ぐ〈どのように〉	じょうずに		です	じょうずな	泳ぎ手
play the piano	well	=	are	a good	pianist
ピアノを弾(ひ)く〈どのように〉	じょうずに		です	じょうずな	ピアノを弾く人

ここをまちがえる

a fast walker は速い歩き手

a slow walker はゆっくりな歩き手

上のような意味で覚えてほしいのですが、日本語にすると不自然(ふしぜん)なので、次のように訳(やく)してあります。

a fast walker →**速く歩く人**

a slow walker →**ゆっくり歩く人**

walk fast（速く歩く）＝ a fast walker（速く歩く人）

walk slowly（ゆっくり歩く）＝ a slow walker（ゆっくり歩く人）

チェック　/　/　/　/　/

Q 083 「〜する人」はなんていうの？(2)

 CD 83　学習の目安 15分

例文

You walk very fast.（あなたはとても速く歩く。）

How fast you walk!（あなたはなんて速く歩くの！）

You are a very fast walker.

（あなたはとても歩くのが速い人ですね。）

What a fast walker you are!

（あなたは歩くのがなんて速い人なの！）

You swim very well.（あなたはとてもじょうずに泳(およ)ぐ。）

How well you swim!（あなたはなんてじょうずに泳ぐの！）

You are a very good swimmer.

（あなたは泳ぐのがとてもじょうずな人ですね。）

What a good swimmer you are!

（あなたは泳ぐのがなんてじょうずな人なの！）

単語の発音

well〔ウェオ〕 What a〔ワタ〕 good swimmer〔グッ・スウィマァ〕

日本語になっているランナー(runner)は、英語だとプロ選手(せんしゅ)じゃなくて走る人！

ここをまちがえる

動詞に er をつけると**～する人**を表(あらわ)す新(あたら)しい単語になります。
日本語に訳(やく)しづらいものもあります。

run（走る）→ runner（走る人）

日本語でよく**ランナー**といういいかたをしますが、ランナーという言葉(ことば)を聞くと、何かの大会に出ているプロの人のような感じを受けます。しかし英語の runner〔**ゥラ**ナァ〕はただたんに**走る人**のことをさしているだけなのです。

swim（泳ぐ）→ swimmer（泳ぐ人）

runner〔**ゥラ**ナァ〕とおなじように swimmer〔ス**ウィ**マァ〕といういいかたもまったくおなじように考えることができます。
水泳の選手(せんしゅ)という意味もありますが、ただたんに**泳(およ)ぐ人**という意味でつかわれていることもよくあります。

sing〔スィン・〕歌う→ singer〔**スィ**ンガア〕歌う人

〔発音に注意〕スィンガアのガアの音を鼻(はな)にかけて発音してください。
日本語で**シンガー**というと**歌手**を表しますが、英語の場合はただたんに**歌う人**という意味でつかわれることが多いのです。
プロの歌手(かしゅ)であるか、歌う人なのかは、話のなりゆきで判断(はんだん)するしかないのです。

チェック　／　／　／　／　／

Q 084 どのくらい背がたかいのかをきくときは？

学習の目安 15分

例文

I am 160cm tall.（私は160cm の背のたかさがあります。）

You are 160cm tall.

（あなたは160cm の背のたかさがあります。）

Are you 160cm tall?

（あなたは160cm の背のたかさがありますか？）

How tall are you?

（あなたはどのくらいの背のたかさがありますか？）

This tree is 10m tall.（この木は10m のたかさがあります。）

Is this tree 10m tall?（この木は10m のたかさがありますか？）

How tall is this tree?

（この木のたかさはどのくらいありますか？）

単語の発音

tall〔トーオ〕tree〔チュリー〕160〔ワンハンヂュレッドゥッ スィクッスッティ〕
cm〔センティ ミータァズッ〕10m〔テン　ミータァズッ〕

How tall are you?（あなたはどのくらいの背のたかさがありますか？）

tall〔トーオ〕には意味が2つあります。

（1）背がたかい

（2）ある背のたかさがある

tallのように形容詞によっては**2つの意味がある**ことがあります。

（1）I am tall.（私は背がたかい。）

You are tall.（あなたは背がたかい。）

Are you tall?（あなたは背がたかいですか？）

（2）How tall are you?

（あなたはどのくらいの背のたかさがありますか？）

I am 160cm tall.（私は160cm の背のたかさがあります。）

下線を問う文をつくりましょう

I am **160cm tall**.（私は160cm の背のたかさがあります。）

You are **160cm tall**.（あなたは160cm の背のたかさがあります。）

Are you **160cm tall**?（あなたは160cm の背のたかさがありますか？）

How tall are you?

（あなたはどのくらいの背のたかさがありますか？）

How + tall にすることで、**どのくらい+ 背のたかさがある**かを表すことができます。

チェック　／　／　／　／　／

Q 085 「私は10歳(さい)です。」はなんていうの？

CD 85　学習の目安 20分

例文

I am 10 years old. （私は10歳です。）

You are 10 years old. （あなたは10歳です。）

Are you 10 years old? （あなたは10歳ですか？）

How old are you? （あなたは何歳ですか？）

Our school is 50 years old.

（私たちの学校は創立(そうりつ)50周年(しゅうねん)です。）

Your school is 50 years old.

（あなたたちの学校は創立50周年です。）

Is your school 50 years old?

（あなたたちの学校は創立50周年ですか？）

How old is your school?

（あなたたちの学校は創立何周年ですか？）

単語の発音

10 years old〔テン　いャァズ　オーゥオドゥッ〕50〔フィフティ〕

school〔スクーオ〕

I am 10 years old.（私は10歳です。）

I am old.（私は生まれてからある年月が経っています。）

この英文に10 years（10年）を入れると次のような英文ができます。

I am 10 years old.（私は10歳です。）

ここが大切

A is 10 years old.

この構文は、主語のところにどんなものがきても、**できてからある年月が経っている**を表すことができます。

（例）

（1）この赤ちゃんは生後10ヶ月です。

This baby is 10 months old.

［発音］baby〔**ベー**ィビィ〕months〔マンツッ〕

（2）私の父は50歳です。

My father is 50 years old.

［発音］father〔**ファー**ざァ〕

（3）私の家は建ってから50年になります。

My house is 50 years old.

［発音］house〔**ハー**ゥスッ〕

チェック　／　／　／　／　／

Q 086 tallとhighのつかいわけは？

CD 86　学習の目安 20分

例文

How tall are you?

（あなたはどのくらいの背のたかさがありますか？）

How tall is this tree?

（この木はどのくらいのたかさがありますか？）

How high is this building?

（このビルはどのくらいのたかさがありますか？）

How high is Mt. Fuji?

（富士山はどのくらいのたかさがありますか？）

How wide is this street?

（この道路はどのくらいの幅がありますか？）

How long is this rope?

（このロープはどのくらいの長さがありますか？）

How deep is this pond?

（この池はどのくらいの深さがありますか？）

単語の発音

tall〔トーオ〕high〔ハーィ〕wide〔ワーィドゥ〕long〔ローン・〕deep〔ディープッ〕tree〔チュリー〕building〔ビオディン・〕Mt. Fuji〔マーゥントゥッ　フジ〕street〔スチュリートゥッ〕rope〔ゥローゥプッ〕pond〔ポンドゥッ〕

tall→木や人のようにたてに長いとき
high→ビルや山のようにたてに長いだけではなく、幅(はば)が広いとき

ここをまちがえる

tall と high は**たかい**という意味でつかう単語ですが、次のようにつかいわけてください。

木や人のように**たてに長い**時は **tall** をつかいます。

ビルや山のように**たてに長いだけではなく、幅(はば)が広い**ときは **high** をつかいます。

しつもん! 超高層(ちょうこうそう)ビルの場合は tall をつかうことができないのですか？

かいとう つかえます。その場合、幅よりもたかさが強調(きょうちょう)されるので tall がつかえるわけです。

ここが大切

tall〔トーオ〕ある背のたかさがある

high〔ハーィ〕あるたかさがある

wide〔ワーィドゥッ〕ある幅(はば)がある

long〔ローン・〕ある長さがある

deep〔ディープッ〕ある深さがある

このような意味でつかわれている時は、**How＋形容詞(けいようし)＋疑問文？** のパターンでつかうことができます。

（例）　**How tall**　**are you?**
どのくらいの背(せ)のたかさが　あなたはありますか？

How deep　**is this pond?**
どのくらいの深さが　この池はありますか？

チェック　／　／　／　／　／

Q 087 How tall？とHow tall！はおなじいみ？

CD 87　学習の目安 15分

例文

How tall?（どのくらいの背（せ）のたかさなの？）

How tall!（なんて背がたかいのだろう！）

How high?（どのくらいのたかさなの？）

How high!（なんとたかいのだろう！）

How long ?（どのくらいの長さがあるの？）

How long!（なんと長いのだろう！）

How old?（何歳（なんさい）なの？／どのくらい古いの？）

How old!（なんと年よりなの！／なんと古いの！）

単語の発音

tall〔トーオ〕high〔ハーィ〕long〔ローン・〕old〔オーゥオドゥッ〕

全く(まった)ちがう意味です。

2つの意味をもつ形容詞(けいようし)は次のように**How +形容詞?** と **How +形容詞!** でまったくちがう意味の英語になります。

tall (1) ある背(せ)のたかさがある (2) 背がたかい

(1) How tall? (2) How tall!

(どのくらいの背のたかさがあるの?)(なんと背がたかいのだろう!)

long (1) ある長さがある (2) 長い

(1) How long? (2) How long!

(どのくらいの長さがあるの?) (なんと長いのだろう!)

old (1)〈人・動物〉生まれてからある年月(ねんげつ)が経(た)っている

〈物〉できてからある年月が経っている

(2)〈人・動物〉年よりの 〈物〉古い

(1)〈人・動物〉How old? 〈人・動物〉How old!

(何歳なの?) (なんと年よりなのだろう!)

(2)〈物〉How old? 〈物〉How old!

(どのくらい古いの?) (なんと古いのだろう!)

ここが知りたい

しつもん! まったくおなじ英語で最後に?がついているか!になっているかがちがうだけなのですが、発音の仕方がちがうのでしょうか?

かいとう **How old?** は How よりも old を強く**最後を軽く上げて**発音してください。**How old!** は How と old をどちらも強く長くいってから**最後を下げて**発音してください。

チェック / / / / /

088 Howのつかいかたは？

CD 88　学習の目安 15分

例文

How tall are you?

（あなたはどのくらいの背のたかさがあるのですか？）

How tall you are!

（あなたはなんと背がたかいのだろう！→あなたは背がたかいね！）

How high is this building?

（このビルはどのくらいのたかさがあるのですか？）

How high this building is!

（このビルはなんとたかいのだろう！→このビルはたかいね！）

How long is this rope?

（このロープはどのくらいの長さがあるの？）

How long this rope is!

（このロープはなんと長いのだろう！→このロープは長いね！）

How old is this book?（この本はどのくらい古いのですか？）

How old this book is!

（この本はなんと古いのだろう！→この本は古いね！）

うしろの文字の並び(なら)が２パターン！
How tall are you? ←疑問文とおなじ並び
How tall you are! ←ふつうの文とおなじ並び

英語の文法用語では次のような呼(よ)び方をしています。

(1) How tall **are you**? のような文を**疑問詞のついた疑問文**といいます。

(2) How tall **you are**! のような文を**感嘆文**(かんたんぶん)といいます。

(1) 疑問文は**～ですか？** (2) 感嘆文は**～です**と覚(おぼ)えておきましょう。このことから、次のような並(なら)べかたにすればよいことがわかります。

(1) あなたは**どのくらいの背(せ)のたかさ**があるのですか？

How tall are you?

どのくらいの背のたかさが　あなたはあるのですか？

(2) あなたは**なんと背がたかいのだろう**！

How tall you are!

なんと背がたかいのだろう　あなたは

How tall you are! という英文は普通(ふつう)の英文とおなじ並べかたになっています。ということは、普通の英文の並べかたでもおなじ意味を表(あらわ)すことができるということです。

(例) You are very tall.

(あなたはとても背がたかい。)

ここが大切

how にも2つ意味があります。

how (1) どのくらい (2) なんと

チェック　／　／　／　／　／

Q 089 おどろいたらなんていうの？(1)

CD 89　学習の目安 15 分

例文

You are very tall. (あなたはとても背(せ)がたかい。)

You are really tall. (あなたは本当に背がたかい。)

How tall you are! (あなたはなんと背がたかいのだろう！)

This tree is very tall. (この木はとてもたかい。)

This tree is really tall. (この木は本当にたかい。)

How tall this tree is! (この木はなんとたかいのだろう！)

This book is very old. (この本はとても古い。)

This book is really old. (この本は本当に古い。)

How old this book is! (この本はなんと古いのだろう！)

単語の発音

very〔ヴェゥリィ〕 really〔ゥリァゥリィ〕 tall〔トーオ〕 tree〔チュリー〕

おどろいてる文＝感嘆文
•very　•really　•How+形容詞！が基本

「あなたは背がたかいね！」
という日本語は**感嘆文**を表していることがわかります。
「あなたは背がたかい。」という日本文はただ事実を述べているだけですが、「あなたは背がたかいですね！」という日本文は感心していっているので、You are tall.（あなたは背がたかい。）をもっと強めたいいかたであることがわかります。
このことから次のようにいえば、「あなたは背がたかいね！」を表すことができます。

（1）You are very tall.（あなたはとても背がたかい。）
（2）You are really tall.（あなたは本当に背がたかい。）
（3）**How tall** <u>you are!</u>（あなたは背がたかいね！）
　　なんと背がたかいの　あなたは

あなたは背がたかいということを相手に**感情を込めていいたい**時につかう日本語であれば、どんな日本語でも上の3つの表現で表すことができるのです。
（例）

背がたかいね、君は！
あなたは背がたかいね！
あなたはなんと背がたかいのだろう！
あなたは本当に背がたかいね！
あなたはとても背がたかいね！

チェック　/　/　/　/　/

Q 090 おどろいたら なんていうの？(2)

CD 90　学習の目安 10分

例文

What a teacher!（なんて先生なの！）

What a good teacher!（なんて立派（りっぱ）な先生なの！）

What a bad teacher!（なんてひどい先生なの！）

What a good teacher you are!

（あなたはなんて立派な先生なの！）

How kind!（なんて親切なの！）

How kind you are!（あなたはなんて親切なの！）

単語の発音

What a teacher〔ワッタ　ティーチァ〕good teacher〔グッ・　ティーチァ〕
bad teacher〔ベァッ・　ティーチァ〕kind〔カーィンドゥッ〕

感嘆文Howと一緒に覚えよう
(1)(a)What a + 名詞！
(b)What a + 形容詞+ 名詞！

感嘆文にはもう2つのパターンがあります。

（1）（a）What a + 名詞！
　　（b）What a + 形容詞+ 名詞！
（2）How + 形容詞！

2つの基本パターンがだれのことについて感心しているのか、または何について感心していっているのかをつけ加えれば次のような英文ができるのです。

What a teacher + you are!
なんて先生なの　あなたは

What a good teacher + you are!
なんて立派な先生なの　あなたは

How kind + you are!
なんて親切なの　あなたは

ここが大切

What a teacher! は（なんて先生なの！）とびっくりしていっているので、ひどい先生だと思えば What a bad teacher! の意味を表しています。
もし立派な先生であれば、What a good teacher! の意味を表していると考えられます。
つまり、時と場合によって意味がちがってくるのです。

チェック　／　／　／　／　／

091 「なんて古い本なんだろう！」を英語にするには？

CD 91　学習の目安 15分

例文

This is a very old book. (これはとても古い本です。)

What an old book this is!

(これはなんと古い本なのだろう！)

These are very old books. (これらはとても古い本です。)

What old books these are!

(これらはなんと古い本だろう！)

That's a very tall tree. (あれはとてもたかい木です。)

What a tall tree that is! (あれはなんとたかい木だろう！)

Those are very tall trees. (あれらはとてもたかい木です。)

What tall trees those are!

(あれらはなんとたかい木なんだろう！)

単語の発音

What an old book〔ワタノーゥオドゥブックッ〕

these〔ずィーズッ〕those〔ぞーゥズッ〕

本の数に注目しよう。
〔1冊の場合〕What an old book!
〔2冊以上の場合〕What old books!

ここをまちがえる

(1)「なんて古い本なんだろう！」

この日本語を英語に訳したい時は、次の点に注意してください。

本が何冊あるのかを考えます。

〔1冊の場合〕

What an old book!

〔2冊以上の場合〕

What old books!

(2)「これはなんておもしろい本なんだろう！」

What **an i**nteresting book this is!
イ

「トニー君はなんて正直な少年なんだろう！」

What **an ho**nest boy Tony is!
ア

「これはなんて小さい本なんだろう！」

What **a s**mall book this is!

単語の発音

interesting〔イ̲ンタゥレスティン・〕**honest**〔ア̲ニスットゥッ〕

解説します。

What の次に a または an がきています。

an がきている場合は、an の次の単語が（ア、イ、ウ、エ、オ）の内のどれかの音から始まっているはずです。

チェック　/　/　/　/　/

Q 092 HowとWhatのおどろきの表現(ひょうげん)はおなじにできる？

 CD 92　学習の目安 15分

例文

This book is very old.（この本はとても古い。）

How old this book is!（この本はなんて古いのだろう！）

This is a very old book.（これはとても古い本です。）

What an old book this is!

（これはなんて古い本なんだろう！）

This book is very interesting.

（この本はとてもおもしろい。）

How interesting this book is!

（この本はなんておもしろいのだろう！）

This is a very interesting book.

（これはとてもおもしろい本です。）

What an interesting book this is!

（これはなんておもしろい本なんだろう！）

単語の発音

interesting〔インタゥレスティン・〕What an interesting book

〔ワタ　ニンタゥレスティン・　ブックッ〕

できます！やり方は主語を入れるだけ！

How interesting!（なんておもしろいのだろう！）

What an interesting book!（なんておもしろい本なんだろう！）

この2つのパターンは、主語（～は）を入れると、まったくおなじ意味を表す英文をつくることができます。

(1) なんておもしろいのだろう！

How interesting!

(2) なんておもしろい本なんだろう！

What an interesting book!

この2つのパターンは、主語（～は）を入れると、まったくおなじ意味を表す英文をつくることができます。

(1) なんておもしろいのだろう＋この本は！

How interesting　this book is!

(2) なんておもしろい本なんだろう＋これは！

What an interesting book　this is!

発音に注意しましょう

英語では、どんどん音をくっつけて話すので、もとの単語とまったくちがうように聞こえることがあります。

ing の g の音はほとんど聞こえません。

What an interesting〔ワッ・アン　インタゥレスティン・〕

Whata ninteresting〔ワッタ　ニンタゥレスティン・〕

チェック　／　／　／　／　／

Q 093 veryはおどろきにいいかえられる？

学習の目安 15分

例文

You speak English very well.

（あなたはとてもじょうずに英語を話す。）

How well you speak English!

（あなたは英語を話すのがなんてじょうずなんだろう！）

You walk very fast.（あなたはとても速く歩きます。）

How fast you walk!（あなたは歩くのがなんて速いの！）

You run very fast.（あなたはとても速く走ります。）

How fast you run!（あなたは走るのがなんて速いの！）

単語の発音

speak〔スピークッ〕English〔イングリッシッ〕walk〔ウォークッ〕run〔ゥランヌ〕fast〔アメリカ発音フェァスットゥッ／イギリス発音ファースットゥッ〕

veryはおどろいたきもちをふくんでいるから、How+形容詞（けいようし）！に言いかえることができるよ。

（1）You speak English　very well.
あなたは英語を話す　とてもじょうずに

How well　you speak English!
なんてじょうずに　あなたは英語を話すの！

（2）You walk　very fast.
あなたは歩く　とても速く

How fast　you walk!
なんて速く　あなたは歩くの！

（3）You run　very fast.
あなたは走る　とても速く

How fast　you run!
なんて速く　あなたは走るの！

ここをまちがえる

速くと早くとではちがう英語の単語をつかわなければなりません。

スピードの方の**速く**は **fast**

スピードに関係ない場合の早くは early〔ア～ゥリィ〕

（例）私は朝早く起きます。

I get up early in the morning.

単語の発音

get up〔ゲタップ〕

チェック　/　/　/　/　/

Q 094 Howはどうして2つもつかいかたがあるの？

 CD 94　学習の目安 15分

例文

How well do you speak English?

（あなたはどれくらいじょうずに英語を話しますか？）

How well you speak English!

（なんてじょうずにあなたは英語を話すの！）

How tall are you?

（あなたはどれくらいの背のたかさがありますか？）

How tall you are!（なんてあなたは背がたかいの！）

How old is this book?（この本はどれくらい古いのですか？）

How old this book is!（この本はなんて古いのだろう！）

単語の発音

well〔ウェオ〕speak〔スピークッ〕English〔イングリッシッ〕tall〔トーオ〕
old〔オーゥオドゥッ〕

実はHowじゃなくてくっつく形容詞が原因！つかいかたがちがう2つの意味をもってるからだよ。

How well ＋　　　　do you speak English?
どれくらいじょうずに　　あなたは英語を話しますか？

普通の文とよく似たパターンの感嘆文

How well ＋　　　　you speak English!
なんてじょうずに　　あなたは英語を話すの！

ここが大切

how（1）どれぐらい（2）なんと
tall（1）ある背のたかさがある（2）背がたかい
old（1）ある古さがある（2）古い

このように**つかいかたがちがう意味が2つある**ので、**How ＋形容詞**にした時もまったくちがった2種類の意味ができるのです。

（例）〔tall のつかいかた〕
（1）How tall?（どれくらいの背のたかさがあるの？）
（2）How tall!（なんと背がたかいのだろう！）
〔old のつかいかた〕
（1）How old?（どれくらいの古さがあるの？）
（2）How old!（なんて古いのだろう！）

上の（1）と（2）の疑問文と感嘆文をはっきりちがいがわかる文にすると次のようになります。

How tall? ＋ are you? ＝ How tall are you?
How tall! ＋ you are. ＝ How tall you are!
How old? ＋ is this book? ＝ How old is this book?
How old! ＋ this book is. ＝ How old this book is!

チェック ▶ ／　／　／　／　／

Q 095 かたまりのつくりかたは？(1)

CD 95　学習の目安 20分

例文

How old is this dog?

(このイヌは何歳(なんさい)ですか？)

I know how old this dog is.

(私(わたし)はこのイヌが何歳か知っています。)

I don't know how old this dog is.

(私はこのイヌが何歳か知りません。)

I want to know how old this dog is.

(私はこのイヌが何歳か知りたい。)

Please tell me how old this dog is.

(このイヌが何歳か私に教えてください。)

単語の発音

dog〔ドーッグッ〕don't know〔ドーゥン・ノーゥ〕

please tell me〔プリーズッ　テオ　ミー〕

疑問文のところを普通の文とおなじ並べ方にするとかたまりをつくれる！

[文] How old **is this dog**?
（このイヌは何歳ですか？）

[かたまり] how old **this dog is**
（このイヌが何歳かということ）

I know　〈何を？〉　how old this dog is.
私は知っている　　　このイヌが何歳かということ

I don't know　〈何を？〉　how old this dog is.
私は知りません　　　このイヌが何歳かということ

I want to know　〈何を？〉　how old this dog is.
私は知りたい　　　このイヌが何歳かということ

Please tell me　〈何を？〉　how old this dog is.
私に教えてください　　　このイヌが何歳かということ

解説します。
〈何を？〉という疑問がうまれたら、疑問文のところを普通の文とおなじ並べかたにすることで、**疑問文からかたまり（名詞相当語句）**にすることができます。

チェック　/　/　/　/　/

Q 096 かたまりのつくりかたは？(2)

CD 96　学習の目安 20 分

例文

What is your name? (あなたの名前は何ですか？)

what your name is (あなたの名前が何かということ)

Where are you? (あなたはどこにいますか？)

where you are (あなたがどこにいるかということ)

How tall are you?

(あなたはどれくらいの背のたかさがありますか？)

how tall you are

(あなたの背のたかさがどれくらいあるかということ)

What do you have? (あなたは何を持っていますか？)

what you have (あなたが何を持っているかということ)

Where do you live? (あなたはどこに住んでいますか？)

where you live (あなたがどこに住んでいるかということ)

単語の発音

name〔ネーィムッ〕have〔ヘァヴッ〕where〔ウェァ〕live〔リヴッ〕

be動詞も一般動詞もかたまりのつくりかたはおなじ！

A

〔be 動詞がある場合〕

What **is your name**?〔文〕

what **your name is**〔かたまり〕

Where **are you**?〔文〕

where **you are**〔かたまり〕

How tall **are you**?〔文〕

how tall **you are**〔かたまり〕

〔一般動詞がある場合〕

What **do you have**?〔文〕

what **you have**〔かたまり〕

Where **do you live**?〔文〕

where **you live**〔かたまり〕

解説します。

be 動詞がある場合も、一般動詞がある場合も**疑問文**のところを**普通の文の並べかたに変える**と**文**から**かたまり**になります。

チェック　/　/　/　/　/

Q 097

かたまりのくっつけかたは？(1)

学習の目安 20分

例文

Where does Tony live?

（トニー君はどこに住んでいますか？）

I don't know where Tony lives.

（私（わたし）はトニー君がどこに住んでいるのか知りません。）

I know where Tony lives.

（私はトニー君がどこに住んでいるのか知っています。）

I'd like to know where Tony lives.

（私はトニー君がどこに住んでいるのかが知りたいのですが。）

Please tell me where Tony lives.

（トニー君がどこに住んでいるか私に教えてください。）

May I ask where Tony lives?

（トニー君がどこに住んでいるかお尋（たず）ねしてもいいですか？）

単語の発音

lives〔リヴッズッ〕I'd〔アーィドゥッ〕tell〔テオ〕

May I ask〔メーィ アーィ エァスックッ〕

何を？という疑問のあとにかたまりをおくだけ！
I know（何を？）+ where Tony lives（かたまり）.

Where does Tony live?〔文〕
（トニー君はどこに住んでいますか？）

where Tony lives〔かたまり〕
（トニー君がどこに住んでいるかということ）

I know
私は知っている〈何を？〉

I don't know
私は知りません〈何を？〉

I'd like to know
（できれば）私は知りたいのですが〈何を？〉

Please tell me
私に教えてください〈何を？〉

May I ask ～？
おたずねしてもいいですか？〈何を？〉

上記のような英文はすべて**〈何を？〉**という疑問がうまれます。このような疑問がうまれたときに**かたまり**をおけば、完全な英文になるのです。

I know	+	where Tony lives.
私は知っています		トニー君がどこに住んでいるかということ

チェック　／　／　／　／　／

098 かたまりのくっつけかたは？(2)

CD 98　学習の目安 20 分

例文

What's in this box?

（何がこの箱の中に入っていますか？）

Do you know what's in this box?

（あなたは何がこの箱の中に入っているのか知っていますか？）

I don't know what's in this box.

（私はこの箱の中に何が入っているのか知りません。）

I want to know what's in this box.

（私はこの箱の中に何が入っているのか知りたい。）

Please tell me what's in this box.

（何がこの箱の中に入っているのか私に教えてください。）

単語の発音

what's〔ワッツッ〕＝ what is〔ワティズッ〕box〔ボックッスッ〕

だれが～ですか(who)または何がありますか(what)は疑問文そのままかたまりにできる！

ここをまちがえる

だれが～ですかまたは**何がありますか**のような日本文を英文にする時は普通の英文とおなじ並べかたにします。

(1) トニー君〔は／が〕ジュディーさんを好きです。
1 3 2

Tony likes Judy.
1 2 3

だれが ジュディーさんを 好きですか？
1 3 2

Who likes Judy?
1 2 3

(2) 私の本〔は／が〕この箱 の中に あります
1 4 3 2

My book is in this box.
1 2 3 4

何が この箱 の中に ありますか？
1 4 3 2

What is in this box?
1 2 3 4

だれが～ですかまたは**何がありますか**のパターンは疑問文ではありますが、普通の文とおなじパターンなので、**かたまりがくる時もこのまま**でかたまりとしてもつかえるのです。

I know + what is in this box.
私は知っています〈何を？〉 何がこの箱の中に入っているかということ

チェック / / / / /

099 つまりかたまりってなに？

CD 99　学習の目安 20 分

例文

Tony is a teacher.（トニー君は先生です。）

that Tony is a teacher（トニー君が先生であるということ）

Is Tony a teacher?（トニー君は先生ですか？）

if Tony is a teacher

（トニー君が先生であるかどうかということ）

Tony can swim.（トニー君は泳[およ]げる。）

that Tony can swim（トニー君が泳げるということ）

Can Tony swim?（トニー君は泳げますか？）

if Tony can swim（トニー君が泳げるかどうかということ）

単語の発音

that〔ざッ・〕teacher〔ティーチァ〕Tony〔トーゥニィ〕if〔イフッ〕

かたまり＝名詞相当語句(名詞の働きをする語句)
名詞だけでは説明できないときに便利。

（1）Tony is a teacher.〔文〕
トニー君は先生です。

that Tony is a teacher〔かたまり〕
トニー君が先生であるということ

（2）Is Tony a teacher?〔文〕
トニー君は先生ですか？

if Tony is a teacher〔かたまり〕
トニー君が先生であるかどうかということ

解説します。
かたまりという言葉の意味は名詞相当語句（名詞の働きをする語句）という意味です。
次のようにすると文をかたまりに変えることができます。

（1）**普通の文**の場合は、**that ＋ 普通の文**
（2）**疑問文**の場合は、**if ＋ 普通の文**

that と if は次のような意味を表す単語です。
that は**〜ということ**
if は**〜かどうかということ**

チェック　／　／　／　／　／

Q 100 「なにを？」と疑問(ぎもん)がうまれたら？

 CD 99　学習の目安 20 分

例文

Tony is a teacher.（トニー君は先生です。）

that Tony is a teacher（トニー君が先生であるということ）

I know that Tony is a teacher.

（私(わたし)はトニー君が先生であるということを知っています。）

Is Tony a teacher?（トニー君は先生ですか？）

if Tony is a teacher

（トニー君が先生であるかどうかということ）

I don't know if Tony is a teacher.

（トニー君が先生であるかどうかということは私には

わかりません。）

単語の発音

I don't know〔アーィドーゥン・ノーゥ〕

名詞、名詞相当語句（名詞の働きをする語句）または代名詞（名詞の代わりにつかう言葉）をうしろにくっつける！

I want to know
私は知りたい　　　〈何を？〉

I know
私は知っています〈何を？〉

I think
私は思う〈何を？〉

〈何を？〉という疑問がうまれる時は、**名詞**、**名詞相当語句（名詞の働きをする語句）**または**代名詞（名詞の代わりにつかう言葉）**を次におかなければならないのです。

I know ＋ **Tony**.
トニー君〔名詞〕

I know ＋ **that Tony is a teacher**.
トニー君が先生であるということ〔名詞相当語句〕

I know ＋ **if Tony can swim**.
トニー君が泳げるかどうかということ〔名詞相当語句〕

I know ＋ **him**.
彼を〔代名詞〕

チェック　／　／　／　／　／

長沢先生が直接回答します！
質問券

この本をよんでわからないところがあったら…
下の質問券に記入して，
明日香出版社まで FAX もしくはお手紙を送ってください。
わからないところがなくなるまで，
長沢先生がていねいにフォローしてくれます。
ぜひご利用ください！

明日香出版社　FAX：　03-5395-7654

住所：　〒112-0005 東京都文京区水道 2-11-5

質問券
新・中学英語
24 時間

→必ずご記入ください

お名前　　　　　年齢

TEL　　　　　FAX

ご住所　〒

■著者紹介

長沢寿夫（ながさわ　としお）

累計 309 万部突破！
「中学英語」といえば長沢式！

1980 年、ブックスおがた書店のすすめで、川西、池田、伊丹地区の家庭教師を始める。
その後、教え方の研究のために、塾、英会話学院、個人教授などで約 30 人の先生について英語を習う。
その結果、やはり自分で教え方を開発しなければならないと思い、長沢式勉強法を考え出す。
1986 年、旺文社『ハイトップ英和辞典』の執筆・校正の協力の依頼を受ける。
1992 年、旺文社『ハイトップ和英辞典』の執筆・校正のほとんどを手がける。

現在は塾で英語を教えるかたわら、英語書の執筆にいそしむ。読者からの質問に直接ていねいに答える「質問券」制度も好評。

主な著作：『中学 3 年分の英語を 3 週間でマスターできる本』（43 万部突破）『中学・高校 6 年分の英語が 10 日間で身につく本』（25 万部突破）
以上、明日香出版社
『中学 3 年分の英語が教えられるほどよくわかる』ベレ出版

校正協力
アップル英会話センター
丸橋一広
和田　薫
池上悟朗
長沢徳尚
河津弘幸
中山いずみ
小前美香
夏目えりか
Special Thanks!　湯元一代

本書の内容に関するお問い合わせは弊社 HP からお願いいたします。

CD+音声ダウンロード付き　新・中学英語の基本のところが 24 時間でマスターできる本

2021 年　4 月　20 日　初版発行
2021 年　8 月　2 日　第 5 刷発行

著者　長沢寿夫
発行者　石野栄一

明日香出版社
〒112-0005 東京都文京区水道 2-11-5
電話（03）5395-7650（代表）
（03）5395-7654（FAX）
郵便振替 00150-6-183481
https://www.asuka-g.co.jp

■スタッフ■　BP 事業部　久松圭祐／藤田知子／藤本さやか／田中裕也／朝倉優梨奈／竹中初音／畠山由梨／竹内博香
BS 事業部　渡辺久夫／奥本達哉／横尾一樹／関山美保子

印刷　株式会社フクイン
製本　根本製本株式会社
ISBN978-4-7569-2143-7 C0082

編集担当　藤田知子

CD BOOK　たったの72パターンでこんなに話せる英会話

味園　真紀

これでもうフレーズ丸暗記の必要ナシ！「～じゃない？」「～かなぁ」「よく～するの？」「～してもらえない？」「～はどんな感じ？」「～頑張って！」などなど、ふだん使う表現が英語でも必ず言えるようになります。

本体価格 1400円＋税　B6変型　216ページ
ISBN4-7569-0832-2　2005/01発行

CD BOOK　72パターンに＋αで何でも話せる英会話

味園　真紀

72パターンに、さらに「＋α」の38パターンを覚えれば何でも話せる！　場面別の四コママンガを見ながら、「どんなときにどんな状況で使えばいいのか」も楽しく読んで学べます。

本体価格1400円＋税　B6変型　216ページ
ISBN4-7569-0931-2　2005/11発行

いっしょによもう

CD＋音声ダウンロード付き 中学・高校６年分の英語で言いたいことが１０日間で話せる本

長沢　寿夫

中学３年分＋αの英文法・英単語をもとに簡単な会話文から、論理的に意見を伝える文まで自分の頭で組み立てられ、口から出るように、教えてくれます。

本体価格 1500 円＋税　B6 変型　232 ページ
ISBN978-4-7569-2131-4　2021/2 発行

中学・高校６年分の英単語が10日間で身につく本

長沢　寿夫

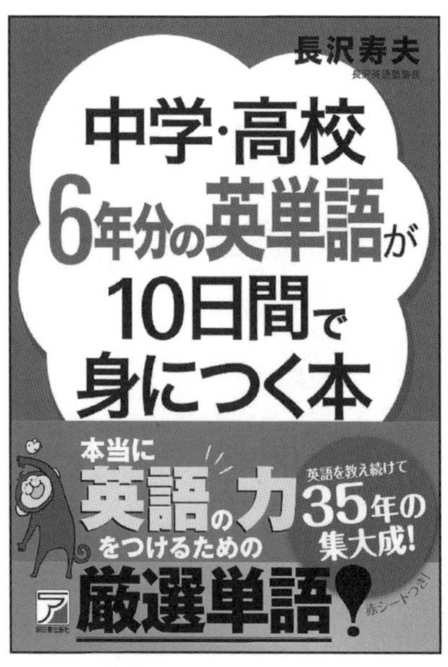

見開き２ページ展開で見やすく、赤シートで単語の意味を隠しながら覚えられます。
中学と高校で覚えるべき必須単語を著者が厳選しました。
「名詞」や「動詞」などの単語の羅列ではなく、単語を覚えることで自然に英語のルールも身につけることができます。

本体価格 1400 円＋税　B6 並製　224 ページ
ISBN978-4-7569-1885-7　2017/2 発行

長沢先生の本

中学・高校６年分の英作文が
10 日間で身につく本

長沢　寿夫

「やりなおし英語」シリーズの第３弾！
中学校と高校で習う英文法のうち、最低限知っておかなくてはいけないものだけを厳選、収録しました。英作文の練習ができるのはもちろん、ネイティブらしい発音の練習まで行うことができ、作文力と発音力の底上げが可能。すぐに英会話に活かせます。

本体価格 1400 円＋税　B5 並製　256 ページ
ISBN978-4-7569-1953-3　2018/2 発行

中学・高校６年分の英語が 10日間で身につく本

長沢　寿夫

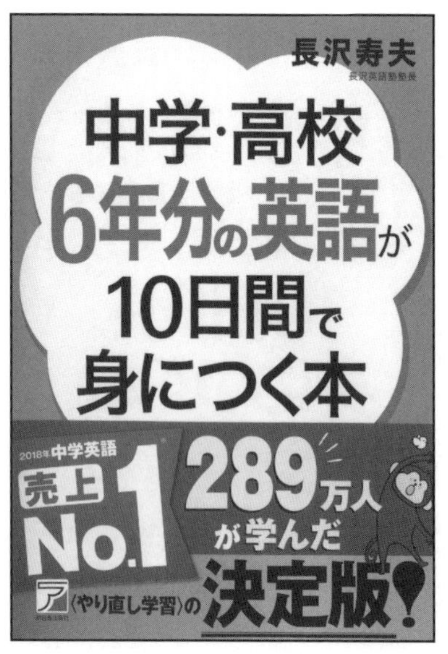

100の〈コツと法則〉をおさえていけば、中高英語の大事なところの概要をつかむことができます。
長沢先生ならではのやさしい説明と、やさしい単語で作られた例文・練習問題が特長。やり直そうとして、書店に行って、どの本を選べばいいかわからない人へ、ぜひおすすめの本です。

本体価格 1300円＋税　B6並製　256ページ
ISBN978-4-7569-1815-4　2016/1発行